Fabio Volo

È TUTTA VITA

MONDADORI

Dello stesso autore
nelle edizioni Mondadori

Esco a fare due passi
È una vita che ti aspetto
Un posto nel mondo
Il giorno in più
Il tempo che vorrei
Le prime luci del mattino
La strada verso casa

È tutta vita
di Fabio Volo

ISBN 978-88-04-65822-1

© 2015 Mondadori Libri S.p.A., Milano
I edizione novembre 2015

Anno 2016 - Ristampa   5 6 7

È tutta vita

A Johanna

The important thing is
what comes next, and are
you ready for it?

KEITH RICHARDS

Uno

Per una coppia felice nulla è più pericoloso di un figlio.

Un figlio non è un collante, ma un detonatore che può scaraventare lontani, ai lati opposti di una stanza. Bisogna voler stare insieme con tutte le proprie forze, essere disposti a lottare per ritrovare una vicinanza, per poter allungare una mano e trovare ancora l'altro. Senza volontà, senza desiderio di stare insieme, i figli possono essere un'ottima scusa per andarsene.

Nel dormiveglia continuavo a pensarci, mentre la piccola bugia sul viaggio a Berlino mi tormentava: tra poche ore sarei salito sull'aereo e mi sarei trovato a centinaia di chilometri di distanza dalla mia famiglia.

Sofia si stava facendo la doccia, il rumore dell'acqua mi aveva svegliato. Leo, stranamente, dormiva: una delle rare tregue che ci concedeva.

Avevo preso il cuscino di Sofia, lo avevo sistemato sopra il mio e mi ero appoggiato al muro. Muovendo un po' la schiena avevo cercato una posizione comoda e avevo iniziato a guardarmi intorno, tutto era bianco: le pareti, il soffitto, l'armadio, la cassettiera.

Incorniciato di fronte a me c'era un cartoncino rubato in un hotel: NON DISTURBARE.

Era lì da anni, quasi non lo notavo più. Se vuoi far sparire una cosa dalla vista non serve nasconderla, basta averla costantemente sotto gli occhi: un soprammobile, un tatuaggio, una moglie.

Avevo incorniciato il cartoncino e lo avevo regalato a Sofia quando era venuta a vivere con me.

L'avevo rubato nell'hotel dove abbiamo passato il primo weekend insieme. Ero stato molto attento a non farmi vedere mentre lo infilavo nella borsa, volevo farle una sorpresa.

L'avevo fatto perché durante quel weekend ho sentito che era lei la donna con cui volevo passare il resto della mia vita. Anche se ci frequentavamo da meno di un mese, in quel momento non avevo dubbi. E così è stato.

Se qualcuno mi avesse chiesto da dove arrivasse la mia sicurezza, perché proprio lei, non avrei saputo cosa dire. Non ne conoscevo il motivo, non lo sapevo, forse non l'avevo mai saputo.

L'unica certezza era che non avrei potuto scegliere nessun'altra. Era lei. Punto.

Dal momento in cui l'avevo incontrata era stato come se qualcosa avesse iniziato a parlarmi per la prima volta, qualcosa di profondo. Sembrava la risposta a una domanda che portavo dentro e non conoscevo. Una risposta nuova. La mia.

Da subito avevo avuto la sensazione che lei mi fosse indispensabile, che fosse indispensabile alla mia vita, anche più di me stesso. Non avrei più dovuto cercare altrove. Sentivo che con lei avrei rischiato, senza sapere esattamente cosa.

Non era la persona perfetta con cui mi sarei incastrato senza sforzi, a quella cosa non avevo mai creduto. Era un'appartenenza, andava al di là di noi, della nostra consapevolezza. Qualcosa di lei era già dentro di me, prima ancora di incontrarla.

Guardavo il cartello NON DISTURBARE, era la frase perfetta per quel momento, il messaggio che volevamo dare al mondo: non disturbateci, lasciateci in pace, non abbiamo bisogno d'altro.

Il mondo era curioso di noi, ma noi non avevamo tempo per nessuno.

Ricordavo bene quel weekend, tutto era stato perfetto.

Avevo chiesto a Mauro dove portarla, se c'è uno esperto di hotel, spa e centri benessere, quello è lui. Era un posto meraviglioso, dove se ti va puoi passare tutto il tempo in accappatoio.

Il viaggio in macchina, la musica, l'aria che entrava dai finestrini e noi a ridere di tutto e di tutti, eravamo felici come attori in un film americano. Ci sentivamo potenti, capaci di fare qualsiasi cosa. Avevamo il mondo ai nostri piedi. Qualsiasi fosse stata la nostra meta, non sarebbe cambiato nulla, a noi bastava un posto in grado di contenere la nostra felicità.

E mentre la macchina andava il mio unico desiderio era di arrivare il prima possibile per poterla sbranare. Volevo morderle il collo così tanto che continuavo a mordermi le labbra. Facevo fatica ad aspettare. In quel periodo mi bastava uno scambio di messaggi per essere eccitato e avere un'erezione. Sofia era così sexy che mi camminava in testa a piedi nudi tutto il giorno. Un pomeriggio al lavoro sono dovuto andare in bagno a masturbarmi, il pensiero di lei mi faceva esplodere.

Arrivati in hotel abbiamo ordinato una bottiglia di champagne e siamo saliti in camera. In ascensore ci siamo dati un bacio che è durato tre piani. Poi ci siamo seduti sul balcone a guardare il mare.

«Vieni» le ho detto battendo la mano sulla mia gamba, «siediti qui.»

Mi ha messo un braccio intorno al collo, in una mano teneva lo champagne, con l'altra mi ha tirato a sé e mi ha baciato sulla bocca. È stato un bacio lungo e lento. Le ho infilato una mano sotto la maglietta e le ho toccato il seno.

Ci siamo guardati negli occhi.

L'ho sollevata, l'ho portata in camera e siamo caduti nel letto.

Non ricordo quante volte abbiamo fatto l'amore.

Ho ancora immagini nitide del suo corpo nudo, anche dopo tutti questi anni. La pelle sudata, la curva della schiena, le cosce morbide e calde. Abbiamo riso del fatto che dopo aver fatto l'amore avesse del sudore nell'ombelico.

Forse il meglio era accaduto lì, avremmo dovuto dirci addio e saremmo stati un ricordo migliore di noi.

Quando ci pensavo sentivo una mancanza, non mi mancavano quei momenti, mi mancavano i due che eravamo stati, che non siamo più stati capaci di essere. Così leggeri e semplicemente felici.

Avrei voluto ritornare in quell'hotel e vedere se quei due erano ancora lì, con i loro asciugamani bianchi, oppure nudi a letto a chiacchierare, ridere, starsi addosso nonostante il caldo di fine luglio.

Mi mancava la Sofia di cui mi ero innamorato in un secondo, che mi aveva preso l'anima con uno sguardo, e che riuscivo sempre a far ridere. Quanto era bella quando rideva così.

Se adesso guardavo il NON DISTURBARE non stavo bene, perché mi ricordava chi eravamo e cosa poi siamo diventati.

Quel piccolo cartello raccontava una perdita.

Come se stando insieme ci fossimo divorati a vicenda.

Odiavo Sofia per come mi aveva reso, e mi sentivo in colpa per come l'avevo resa.

Forse tra le mani ho avuto una cosa troppo fragile, troppo preziosa, e non sono stato in grado di prendermene cura.

Eppure eravamo partiti bene, c'era stato un momento in cui tutto era chiaro, tutto quello che volevo e che non volevo. Poi non so cosa sia successo, forse una distrazione, una paura, o peggio ancora una presunzione. All'improvviso tutto ha preso un'altra strada.

Il segreto di una relazione non è continuare ad amarsi, ma far andare d'accordo le due persone che si diventa stando insieme.

Due

Un pomeriggio di cinque anni prima era successo un disastro.

Aspettavo che Mauro mi portasse delle casse di uno stereo che teneva in uno stanzino e che non usava più. Mauro, insieme a Sergio, è il mio migliore amico. Loro sanno cose di me che Sofia non immagina nemmeno.

Avevo comprato un giradischi e un amplificatore di seconda mano, mi servivano le casse. Ogni giorno Mauro aveva un contrattempo e non passava mai, così avevo deciso di andare da lui: «Vengo da te questa sera».

«Questa sera no, domani.»

«No, mi servono oggi, viene una da me e voglio farle ascoltare un po' di dischi.»

«Ma chi è?»

«Quella della palestra, ho bisogno di un aiuto, non mi sembra molto convinta.»

«Che tipo di aiuto?»

«Coltrane, Chet Baker, Massive Attack. Ho un disco di Sonny Rollins che è una bomba.»

«Dopo il lavoro vado con Michela a mangiare il sushi, non passiamo neanche da casa. Ce la fai tra un'oretta? Vieni qui in ufficio, andiamo da me e poi mi riporti indietro.»

«Ok perfetto, alle tre sono lì.»

«Sei un rompipalle.»

«Lo so.»

Alle tre ero sotto l'ufficio di Mauro, alle tre e venti stavamo parcheggiando sotto casa sua.

Abbiamo fatto le scale parlando della ragazza che avrei visto la sera.

Davanti alla porta si sentiva della musica provenire dall'interno della casa: «Michela avrà dimenticato lo stereo acceso».

«Posso capire la luce accesa, ma lo stereo...»

E l'ho guardato stupito.

«È una stordita, magari era al telefono. Sai quante volte torno a casa la sera e trovo le chiavi nella toppa? Poi rompe le palle perché non abbasso la tavoletta del cesso.»

Quando siamo entrati sono andato direttamente a cercare le casse, volevo far presto. Mauro si è tolto la giacca, l'ha appesa all'ingresso ed è andato a spegnere lo stereo.

Mentre stavo per uscire dallo stanzino, nel silenzio si sentivano strani ansimi.

Mi sono bloccato, Mauro è spuntato sulla porta della sala e mi ha guardato con lo stesso punto di domanda sul viso.

Si è incamminato verso la camera da letto. Tutte le cellule del mio corpo speravano che non fosse quello che stavo pensando.

Con una cassa in mano ho seguito Mauro. Gli ansimi si sono fermati, interrotti da un grido di Michela.

Quando sono arrivato sulla porta si stava coprendo con un lenzuolo, come se Mauro la vedesse nuda per la prima volta, accanto a lei un uomo più o meno della nostra età.

La finestra aperta e la musica accesa avevano impedito ai due di sentirci entrare.

La reazione di Mauro mi ha sorpreso, non si può mai sapere come si reagisce a una situazione del genere finché non ti capita: puoi pensare di prendere a cazzotti l'uomo che si trova nel tuo letto, oppure di prendere a schiaffi lei o sfasciare tutto.

Non dimenticherò mai la sua espressione, ogni volta che mi torna in mente provo per lui un sentimento d'amore profondo, mi si spezza il cuore come mi si è spezzato quel giorno. Ha guardato Michela e ha detto una sola parola: «Perché?». Poi mi ha sussurrato: «Andiamo via».

Proprio lui, che prima di Michela era sempre stato diffidente e non credeva nelle relazioni, si era ritrovato fregato. E nel modo peggiore possibile.

Siamo saliti in macchina e siamo rimasti fermi in silenzio per almeno mezzora. Non ho detto nulla, volevo solo restare con lui e sapevo che ogni parola sarebbe stata inutile. Né io né lui siamo tornati al lavoro. Ho fatto per chiamare Sergio ma Mauro non ha voluto, preferiva stare solo con me. Per Sergio sarebbe stato difficile, da quando ha una figlia è sparito.

La storia tra Mauro e Michela è finita quel pomeriggio, io ho chiamato la ragazza della palestra e ho rimandato la nostra cena.

«Non devi cancellare la tua serata per me, anzi richiamala e dille di venire, poi scopala fino a farle male. Sono tutte troie e alla fine ciò che vogliono è quello. Il resto sono stronzate.»

Siamo rimasti insieme a casa mia fino alle tre di notte, Mauro si è fermato a dormire sul mio divano. Abbiamo parlato molto, parlato e bevuto.

«Potrei farti sentire della musica pazzesca ma purtroppo non ho le casse» gli ho detto per strappargli un sorriso.

«Per colpa di quella troia, vuoi dire.»

«Esatto.»

Lui ha sollevato un istante le sopracciglia, poi ha fatto un lungo sospiro. «Forse non è tutta colpa sua, la colpa è sempre da entrambe le parti.»

«Bravo, sei un ragazzo maturo» gli ho detto, «ma inizia da domani a essere ragionevole e adulto, questa sera è troppo presto.»

La mattina dopo sono andato al lavoro, lui si è preso la giornata libera. Deve essersi trovato bene sul mio divano perché ci si è trasferito senza neanche chiedermelo.

I primi tre giorni sono stato contento di ospitarlo, non volevo rimanesse solo. Una sera mentre salava l'acqua per la pasta mi ha chiesto: «Vuoi un sughetto o ti va bene olio e parmigiano?».

In attesa della mia risposta ha aggiunto: «Sarebbe bello se mi trasferissi a vivere qui con te, che dici?».

«Dico che olio e parmigiano va benissimo.»

Dopo cena ci ha raggiunto Sergio.

Nel mezzo di un silenzio me ne sono uscito con: «Perché non ce ne andiamo a fare un bel weekend insieme?».

Mi hanno guardato senza rispondere.

«Prendiamo la macchina e andiamo da qualche parte. È un po' che non lo facciamo» ho insistito.

«Non credo di poter venire, almeno non in questo periodo» ha risposto Sergio.

«Cazzo, sembra che ce l'hai solo tu un figlio. Stiamo via due giorni, mica un mese.» Mauro era nervoso.

Sergio lo ha guardato storto: «Glielo chiedi tu alla regina?».

«Parlo io con Lucia, vedrai che non mi dice di no» ho detto.

«E dove andiamo?»

«Una cosa bella ci sarebbe.»

«Cosa?»

«Il concerto dei Rolling Stones a Roma venerdì.»

«Ancora suonano?» ha chiesto Sergio.

«Suonano sempre.»

«Quanti anni hanno?»

«Credo tutti over sessanta, ma se facciamo una corsa con loro attorno al palazzo arrivano prima di noi.»

«Con la roba che si sono fatti.»

«Dicono che vanno a cambiarsi il sangue in Svizzera.»

«Guarda su internet se ci sono ancora dei biglietti.»

«Perché non andiamo al mare invece?» ha detto Mauro, che era rimasto in silenzio fino a quel momento.

«Esatto» ha risposto Sergio.

«Al mare ci possiamo andare sempre, è un concerto storico, potrebbe anche essere l'ultimo, vista l'età. Dài cazzo.»

«Ok.»

«Va bene.»

Ho guardato Mauro: «Penso a tutto io, albergo, biglietti e sbattimenti vari. È il mio regalo per il tuo compleanno».

«Siamo a luglio, io compio gli anni il 2 di ottobre.»

«Lo so ma non posso spostare la data per te. Questo è il weekend "Fanculo Michela viva i Rolling Stones". Passami il telefono che chiamo tua moglie» ho detto poi a Sergio.

«Lascia stare, se glielo chiedi tu s'incazza perché dice che la faccio sembrare sempre una stronza che mi schiavizza.»

«Che tra l'altro è vero» ha detto Mauro.

«Certo che è vero, ma nessuno deve saperlo. Ci

penso io, le dico che è per farti superare il momento difficile. Chiamerà sua madre per aiutarla con la bambina.»

Alle nove di mattina di venerdì 6 luglio eravamo in macchina, direzione Roma.

Avevo fatto qualche playlist per il viaggio, ce n'era una dei Rolling Stones per rinfrescare la memoria a Sergio e Mauro. Io non ne avevo bisogno, ero l'unico veramente interessato a vederli dal vivo.

«Chi scopa in questo weekend non paga la benzina al ritorno.»

L'ultimo viaggio insieme sopra le cinque ore era stato a venticinque anni, Milano-Cadaqués con la Micra di Sergio. Un viaggio indimenticabile.

In un momento di stupidità Mauro aveva proposto una regola: vietato buttare qualsiasi cosa, carte, sacchetti, bottiglie, lattine. Tutto quello che veniva consumato dentro la macchina doveva rimanere nella macchina fino al ritorno a casa. Una regola più stupida, inutile e priva di senso non c'era, abbiamo detto sì senza nessun dubbio. Ricorderò per sempre la Micra di Sergio quando siamo arrivati a Milano. L'unico modo per pulirla sarebbe stato darle fuoco.

Era bello viaggiare di nuovo insieme. Avevamo deciso di non nominare Michela ma è stato impossibile. In quei giorni era sempre presente, soprattutto nei silenzi.

«Sai cosa mi fa incazzare?»

«Che erano nel vostro letto?» ha detto Sergio.

«A parte quello, è non sapere quando ha iniziato a mentirmi, non sapere quali siano vere e quali no le cose che mi ha detto in questi due anni. Non posso distinguere le stronzate dalle cose sincere.»

«Una che si scopa il collega nel vostro letto ha poco di sincero da dire» ha sentenziato Sergio.

«Ma lo sapete che stanno insieme? Non era una scopata e via, stanno proprio insieme. Non so neanche se è meglio o peggio, mi sconvolge solo la disinvoltura con cui una possa passare da una persona a un'altra così, in un secondo.»

Arrivati a Roma ci siamo fatti una doccia in hotel e siamo usciti subito a mangiare qualcosa e a girare per la città.

In un bar all'aperto abbiamo ordinato delle birre. Tutto sembrava perfetto, la giornata, il clima, la luce, il palazzo e la fontana che avevamo di fronte. Da lì a qualche ora i Rolling Stones in concerto.

«Chissà in questo momento cosa stanno facendo? Saranno in hotel? Staranno facendo il sound check?»

«Secondo me stanno facendo un pisolino» ha risposto Sergio. Abbiamo riso immaginandoci Mick Jagger in pigiama e babbucce.

All'improvviso ho notato due ragazze che parlavano tra di loro. Una mi dava la schiena, non riuscivo a vederle il viso. Indossava un vestito leggero color nocciola, le guardavo le spalle scoperte, i capelli lisci e castani che arrivavano appena sotto le scapole, la forma dei fianchi, le caviglie. *Adesso girati, adesso girati, adesso girati*, mi ripetevo nella testa ma niente, non voleva girarsi. Ero sempre più curioso, impaziente, nell'attesa che si voltasse ho iniziato a inventarla, a immaginarla. Gli occhi, il naso, la bocca. Più giocavo con i suoi lineamenti più cresceva dentro di me la voglia di scoprirla: *Ora conto fino a cinque e al cinque ti girerai. Uno, due, tre, quattro, cinque!* Se non fosse successo non ci crederei, ma al cinque si è girata. Era completamente diversa da come l'aveva disegnata la mia immaginazione. Mi sembrava bellissima, ho continuato a guardarla. Mi piaceva.

Il sole dietro di lei mostrava la forma delle gambe sotto il vestito, e ancora non potevo sapere che nella luce tra le sue gambe era nascosto il mio destino.

È stata la prima volta che ho visto Sofia.

Tre

Non so se esiste un disegno divino, se le persone che s'incontrano sono destinate a farlo o se la vita è solo una serie di coincidenze, di incognite che casualmente si impongono. Non ho mai avuto un'idea chiara a riguardo, posso solamente dire che alcuni eventi della nostra vita si muovono in maniera così sincronizzata da far pensare a qualcosa che li guidi.

Quando Sofia è entrata nella mia vita ho avuto questa sensazione.

Al tavolino accanto al nostro c'era una coppia di turisti, ricordo di averli sentiti parlare in tedesco. Quando si sono alzati, le due ragazze si sono sedute accanto a noi. Avrei potuto allungare un braccio e toccarle.

Sergio le ha salutate e dopo qualche minuto stavamo già conversando. Erano a Roma per lavoro, sarebbero rientrate a Bologna la sera stessa.

Quando abbiamo iniziato a parlare, io e Sofia senza volerlo ci siamo isolati dagli altri, eravamo già soli nelle nostre parole, pieni di curiosità, di attenzioni. Lei mi ha sedotto in un secondo. Non era stata la bellezza ad agganciarmi, ma qualcosa di più invisibile, come la forza di una calamita. Sofia mi è apparsa da subito diversa dalle donne che avevo conosciuto, diversa anche da quella che avevo sempre sognato, desiderato, immaginato. Lei era una donna mai pensata prima, era autentica, nuova.

Mi piaceva come muoveva le mani, come sorrideva, come rideva, come si sistemava i capelli dietro le orecchie. Era facile farla ridere e ridere delle cose che diceva. Abbiamo scoperto di avere molto in comune, ma quello che ci ha legato di più era ciò che non piaceva a entrambi. Odiavamo le stesse cose.

Durante il nostro primo incontro non ho mai avuto la sensazione che tentasse di piacermi. Sembrava sincera, senza paura di essere giudicata o di sbagliare, ed era autoironica. Una dote che mi ha sempre affascinato.

Sembrava voler dire: *Quello che vedi è quello che sono.* Sofia era a suo agio e la sua spontaneità era disarmante al punto che obbligava anche me a esserlo. Mentre rideva ha appoggiato una mano sulla mia, è stato un gesto rapido e inaspettato ma è bastato a darmi un brivido. Avrei voluto parlare con lei per ore, il tempo è volato via senza che ce ne accorgessimo.

«Ragazzi, dobbiamo andare» ha detto Sergio a un certo punto.

Ero dispiaciuto, ho guardato Sofia: «Perché non venite al concerto con noi? Due biglietti fuori dallo stadio si trovano».

«Abbiamo il treno tra poco» ha detto Elisabetta, la sua amica.

Ci siamo salutati ma mentre camminavo pensavo a quanto fossi stato idiota a non averle chiesto nemmeno il numero di telefono.

Prima di salire sull'auto sono tornato di corsa al bar sperando che fossero ancora lì. Una volta di fronte a lei le ho detto tutto d'un fiato: «Perché non mi hai chiesto il numero? Ho detto qualcosa di sbagliato?».

Lei ha riso, ha preso il mio telefono e ha iniziato a digitare.

«Il nome te lo ricordi o metto "ragazza bar Roma"?» mi ha chiesto con un'occhiata maliziosa.

Ho sorriso.

Quando sono tornato da Sergio e Mauro mi sono accorto di essere felice.

«Cazzo Nicola, ti sei messo a parlare con quella, ma non c'è paragone con l'amica» mi ha detto Mauro.

«Di donne non c'hai mai capito niente» ho risposto.

«È vero, però l'altra faceva sesso.»

«Perché, Sofia no?» si è intromesso Sergio.

«Viste di meglio, scopate di peggio. Ma quella con cui parlavo mi faceva sangue. Ho anche pensato di portarmela in bagno. C'è stato un momento che se glielo avessi chiesto ci sarebbe venuta.»

«Ma cosa stai dicendo?» ha risposto Sergio.

«Hai visto come mi guardava?»

«L'unico momento in cui ha desiderato andare in bagno non era per scopare con te ma per suicidarsi, impiccarsi con la corda dello sciacquone dopo la storia della tua ex. Finché ammorbi noi ogni cinque minuti va bene, fa parte del pacchetto. Ma non puoi sfrangiare le palle quando incontri uno sconosciuto. Hai visto come ti ha guardato il benzinaio in autostrada?»

Mauro non ha detto nulla, ha incassato la critica ed è rimasto in silenzio qualche secondo, poi ha aggiunto: «Comunque secondo me in bagno a scopare ci sarebbe venuta. Stupido io che non c'ho provato, solo perché ancora non me la sento, altrimenti adesso saresti qui a chiedermi scusa e non pagherei neanche la benzina al ritorno. È inutile che ti incazzi, il tuo problema è che con le donne sei interessante come un film porno dopo che sei venuto».

Mentre cazzeggiavano con le loro fantasie, ho mandato un messaggio a Sofia.

Questo è il mio numero. Se non ricordi il nome puoi mettere «ragazzo bar Roma».

Pensavo mi avrebbe risposto subito invece non arrivava nulla. Nell'attesa continuavo a rileggere quello che avevo scritto come se volessi accertarmi del tono.

Siamo arrivati allo stadio, il palco era enorme, la gente carica, il concerto sarebbe stato una bomba.

«Con che pezzo apriranno?» mi ha chiesto Mauro.

«Credo *Start Me Up*, oppure *Jumpin' Jack Flash*.»

È arrivato un messaggio: *Non so chi sei, forse hai sbagliato.*

«Non ci posso credere» ho detto ad alta voce, «mi ha dato il numero sbagliato.»

«Te l'ho detto, sono tutte stronze» ha subito sottolineato Mauro.

«Non mi sembrava il tipo.»

«Magari ha sbagliato a scriverlo.»

C'ero rimasto male.

Dopo qualche secondo ne è arrivato un altro: *Hanno già suonato* Brown Sugar?

Ho sorriso, abbiamo iniziato uno scambio di messaggi.

Non hanno ancora iniziato.

Adesso che hai il mio numero che succede?

Che domani ti chiamo.

E poi?

Poi ci rivediamo.

A che ora attaccano i vecchietti?

Tra poco, fate ancora in tempo a venire. Dove siete?

Stiamo andando in albergo a prendere le valigie, poi stazione.

Hai sbagliato a non venire al concerto.

Hai sbagliato ad andartene.
Mi sa che hai ragione.
Salutami Mick.
Di' al tassista di portarti qui.
You can't always get what you want.
Maybe.

Abbiamo smesso di scriverci. Ho riletto tutti i messaggi.

Sergio era andato a prendere delle birre. Abbiamo brindato. Ero pieno di energia, ero insieme ai miei migliori amici e stava per cominciare il concerto del mio gruppo preferito.

Sono rimasto in silenzio per un po', a fissare il palco.

Alla mente continuavano a tornarmi immagini di Sofia, la schiena, i capelli lisci, l'abito color nocciola.

Mi sono girato verso Sergio e Mauro: «Vi chiamo dopo. Devo andare».

«Andare dove?»

«In stazione, a salutare Sofia.»

«Ma che cazzo dici? Sei fuori?»

«Mica te la rubano, te la fai la settimana prossima.»

«Ci sentiamo dopo.»

«Stai svarionando, dove vai? Hai visto che casino c'è là fuori? Hai presente dov'è la stazione? Non arriverai mai in tempo.»

Hanno continuato a dirmi altre cose ma non sentivo più nulla, quando le luci hanno cominciato ad abbassarsi mi ero già allontanato.

Ho sentito scoppiare un boato, sulle note di *Start Me Up* ho lasciato lo stadio per andare da lei.

Non riuscivo a capire cosa mi facesse sentire così leggero. C'è voluto del tempo ma alla fine ci sono arrivato: ero felice di aver trovato una persona che aveva la forza di farmi fare quello che stavo facendo.

Quattro

Quando sono arrivato alla stazione ho cercato il binario del treno per Bologna e mi sono messo a correre: non sapeva che stavo andando da lei, non l'avevo avvisata. Se non fossi arrivato in tempo non gliielo avrei mai detto.

L'ho vista camminare lungo la banchina, ma sono rimasto a distanza.

Volevo seguirla fino al vagone, poi solo all'ultimo sarei sbucato e le avrei chiesto: «Posso aiutarla?». Chissà che faccia avrebbe fatto. Ma qualcosa è andato storto. Mentre chiacchierava con Elisabetta, senza nessuna ragione si è voltata, non me l'aspettavo e non ho fatto in tempo a nascondermi. L'espressione del suo viso quando mi ha visto valeva tutta la follia del mio gesto.

Non ha detto una sola parola, quando le sono arrivato vicino l'ho baciata sulla bocca.

Il nostro primo bacio è stato così.

Poi ci siamo detti qualcosa, non ricordo con esattezza, eravamo troppo confusi.

«Non prendere il treno.»

«Non posso.»

«Certo che puoi.»

«Ci conosciamo da due ore.»

«Fa differenza?»

«Non lo so, ma non serve avere fretta.»

«Non sono qui perché ho fretta.»

«E allora che cos'è?»

«Non lo so, ho sentito che era la cosa giusta da fare.»

Lei non ha detto niente.

«Lo so che stai pensando che sono uno sfigato che ti ha appena conosciuta e che corre da te.»

«Non lo penso.»

«Sbagli perché un po' lo sono.»

«Non posso rimanere, ci sentiamo con calma.»

Non sapevo che dire, non volevo insistere.

«Certo che puoi» ha detto Elisabetta, «ci sentiamo quando torni.» Le ha dato un bacio ed è salita sul treno.

Io e Sofia l'abbiamo guardata allontanarsi. Eravamo in imbarazzo. La disinvoltura con cui parlavamo al bar si era dissolta.

Abbiamo lasciato le sue cose al mio hotel e siamo andati in giro per Roma.

Mentre camminavamo capitava le prendessi una mano, mi piaceva giocare con le sue dita.

«Ho fame, tu?» le ho chiesto.

«Anche io, ma non mi va di andare al ristorante.»

«Possiamo prendere un pezzo di pizza e sederci da qualche parte.»

Siamo andati a Trastevere, in un posto dove fanno pizza al trancio col forno a legna, l'abbiamo mangiata sulle scale di una chiesa.

Ho scoperto che viveva da sola a Bologna, dove si era trasferita durante l'università. In realtà era di Reggio Emilia. Aveva un fratello più grande e suo padre era proprietario di un'azienda che produceva e vendeva gelato. Era product manager di un'azienda d'abbigliamento con negozi in tutto il mondo, il lavoro la portava spesso a Milano.

«Vedi? È destino.»

«Dici?» Mi ha sorriso.

Non riesco a ricordare tutto quello che ci siamo detti, ricordo che abbiamo parlato di tutto, delle cose più normali, passando da un argomento all'altro. Poi, non so come, ci siamo ritrovati a parlare di come fossero cambiati i negozi di scarpe.

«Non erano così eleganti, adesso sembra di andare in gioielleria» ho detto. «Una volta c'era una scarpa sopra la scatola e l'altra dentro.» E ho aggiunto: «E ti ricordi che a terra c'erano degli specchi inclinati? Per vederti tutto dovevi allontanarti così tanto che finivi fuori dal negozio».

Non era certo un argomento di seduzione però la faceva ridere. Abbiamo parlato dei libri di García Márquez, di Woody Allen e dei Pink Floyd.

Ricordo che dopo una risata lei mi ha guardato in silenzio, ho avuto la sensazione che volesse dirmi qualcosa. «Perché mi guardi così?» ho chiesto.

«Pensavo a una cosa.»

«Cosa?»

«Hai saltato il concerto dei Rolling Stones, sei venuto in stazione, mi hai baciata prima ancora che riuscissi a dire una sola parola e adesso sono ore che parli e non lo hai più fatto.» L'ho fissata per un istante, poi mi sono avvicinato, le ho preso il viso tra le mani e le ho dato un bacio lunghissimo.

È squillato il telefono, era Mauro: «Dove sei?».

«Vicino a Campo de' Fiori, com'è stato il concerto?»

«Fantastico, tu sei matto.»

«Lo so.» Mentre lo dicevo ho guardato Sofia. Non c'era un briciolo di pentimento in tutto il corpo. Avevo fatto la cosa giusta.

«Spero sia una scopata che ne valga la pena. Ci vediamo o fai il piccioncino innamorato?»

«La seconda che hai detto.»

«Ma che state facendo?»

«Stiamo parlando.»

«Ancora? Ma che avete da dirvi? Vabbè, ciao merda, ci vediamo domani.»

Abbiamo ricominciato a passeggiare. Tutto sembrava un invito a baciarla, alcune sue espressioni, il modo in cui sorrideva, i silenzi, gli angoli di Roma. Siamo arrivati davanti alla Fontana di Trevi e le ho proposto di entrarci come nel film di Fellini. «Però devi gridare Nicola al posto di Marcello.» Ma lei non se l'è sentita.

Verso l'una siamo tornati in albergo. C'era una strana tenerezza nel modo in cui ci sfioravamo, in cui ci guardavamo, tutto sembrava gentile e sospeso, perfino il tempo. Siamo rimasti svegli tutta la notte poi, quando è arrivata l'alba, ancora vestiti ci siamo addormentati. Quella notte non abbiamo fatto l'amore. Al risveglio eravamo confusi, era strano ritrovarsi insieme in albergo. Un po' di magia se n'era andata. La carrozza del grande ballo era tornata a essere una zucca.

«C'è posto in macchina se vuoi tornare con noi, partiamo domani.»

«Grazie, preferisco prendere il treno oggi.»

«Sei sicura?»

«Sì.»

L'ho accompagnata al taxi. Prima che lei salisse ci siamo abbracciati e siamo rimasti qualche secondo in silenzio. Nessun bacio. Stavamo vivendo qualcosa di strano. Quel momento ci ha trovati impreparati come la grandine d'estate. Non siamo stati capaci nemmeno di capire se era un addio o se ci saremmo visti ancora. Nessuno osava chiedere perché non c'era una risposta.

Durante il giorno ho cercato di essere il più normale possibile. Sergio e Mauro mi prendevano in giro perché oltre ad aver perso il concerto io e Sofia non avevamo nemmeno scopato.

Mi chiedevo se avrei ricevuto un messaggio o una chiamata. Dopo pranzo siamo tornati in hotel a riposare. Avevano fatto tardi dopo il concerto. Mi sono ritrovato solo nella stanza, il ricordo di Sofia era così vivo che riuscivo ancora a vederla sdraiata sul letto.

La mia testa era piena di lei. La vedevo mentre rideva, mentre sorrideva, mentre mi diceva cose divertenti. Pensavo a lei mentre mi guardava, l'istante prima di avvicinarmi per un bacio e quando cercava di non ridere perché aveva appena dato un morso alla pizza.

Ho avuto voglia di sentirla, di vederla. All'improvviso avrei voluto che fosse ancora lì con me. Ho avuto paura che non l'avrei più incontrata.

Ho preso il telefono per mandarle un messaggio, poi ho cambiato idea e ho deciso di chiamarla.

«Sono io, Nicola.»

«Ciao.»

«Come è andato il viaggio?»

«Bene, ho anche dormito.»

C'è stato un attimo di silenzio. Non sapevo cosa dire, non mi ero preparato niente ed ero impacciato.

«Sono qui in camera da solo e pensavo a quello che è successo ieri notte.»

«E cosa pensavi?»

«Che sono stato bene. Poi questa mattina era tutto strano e adesso non so più niente. Non so se ci rivedremo ancora, se hai cambiato idea. Avevo semplicemente voglia di sentirti. Tu hai capito qualcosa di quello che è successo?»

«Credo di sì, ma non sono sicura, magari mi sbaglio.»

«Cosa hai capito?»

«Quando ci vediamo te lo dico.»

Cinque

Nei giorni seguenti io e Sofia abbiamo fatto lunghe telefonate e prima che fosse finita la settimana sono andato da lei.

Nel centro di Bologna mi sono perso come un bambino. Telecamere ovunque, la ZTL mi stressa più della differenziata.

Credo di averci messo di più a trovare un parcheggio che ad arrivare da Milano.

C'eravamo dati appuntamento in un bar per un aperitivo, e nonostante tutto sono arrivato prima di lei. Quando l'ho vista venire verso di me ho sentito la stessa emozione del primo giorno a Roma.

Ci siamo abbracciati, non sapevamo se il bacio fosse ancora lecito. Eravamo in imbarazzo. Alla fine eravamo gli stessi di Roma, solo sembravamo andare a una velocità diversa, meno spinti da un entusiasmo eccessivo, dalla sensazione di essere partecipi di una follia. Tutto era più normale.

Siamo andati a cena, passeggiata in piazza Maggiore, e poi mi ha accompagnato alla macchina.

Mentre ci salutavamo ci siamo dati il primo e unico

bacio della serata. Ho perso il senso del tempo. Quel bacio portava con sé un desiderio di continuità.

Quando sono andato via l'ho guardata nello specchietto finché è sparita. In autostrada avrei guidato per ore, andavo piano con il finestrino abbassato. Non avevo fretta di arrivare, volevo godermi il viaggio. Ogni tanto mettevo la mano fuori e facevo le onde con l'aria. Quella sera a casa stavo bene. Non so perché, prima di addormentarmi ho avuto paura di rovinare tutto, di sbagliare le misure, l'intensità, le parole. Non volevo rischiare di perderla. È difficile entrare nello spazio di un'altra persona. A volte ti fai riguardo e sembra che tu non sia interessato, a volte sei presente e temi che l'altro possa pensare che hai un disperato bisogno di piacere.

Ci siamo mossi senza troppe strategie, in maniera naturale. L'approccio dice di una persona molto più delle parole.

Il lunedì successivo sarebbe dovuta venire a Milano per lavoro, mi ha proposto di anticipare l'arrivo alla domenica per passarla insieme. Ha preceduto qualsiasi imbarazzo dicendomi che avrebbe dormito in albergo.

Siamo andati a un mercatino sui Navigli, abbiamo mangiato il gelato e ci siamo infilati in un cinema. Non so se siamo finiti in sala per vedere il film o per stare un po' al fresco.

Dopo cena l'ho accompagnata in hotel ma non sono salito. Dopo averle dato un bacio davanti alla porta girevole me ne sono tornato a casa.

Ci siamo rivisti a Bologna e poi di nuovo a Milano. Un pomeriggio verso le cinque siamo andati alla Pinacoteca di Brera.

Mi ha sorpreso vederla arrivare in bicicletta.

«E questa dove l'hai rubata?»

«È aziendale, visto in che posto lavoro? Abbiamo addirittura le biciclette aziendali.»

«Come siete moderni. Pensa che invece in ufficio da me hanno messo la macchinetta del caffè solo da qualche giorno. Quando avremo le biciclette io sarò in pensione da anni.»

«Pensavo che voi del design foste avanti anni luce rispetto al resto del mondo.»

«Lo pensavo anch'io» ho risposto sorridendo.

Conoscevo bene la Pinacoteca, è uno degli angoli di Milano dove vado quando voglio tranquillità. Passeggiare nella bellezza mi aiuta a pensare.

Avevo voglia di raccontare a Sofia un po' di storie legate ai dipinti, alla fine non ho detto nulla, ho avuto vergogna, una specie di pudore mi ha bloccato. Non volevo pensasse che fosse una strategia per impressionarla, per voler risultare interessante.

La sera siamo andati a cena in un ristorante in zona. La bellezza dei dipinti, le nostre parole curiose, il vino, tutto sembrava fatto per farci girare la testa. Eravamo vicini, più intimi delle volte precedenti.

A tavola ho spostato i bicchieri e le ho preso la mano. Giocherellavo con le sue dita come avevo fatto a Roma nella nostra prima passeggiata. Solo che questa volta potevo guardarla negli occhi mentre lo facevo.

C'era qualcosa nelle nostre voci, si percepiva la voglia che avevamo l'uno dell'altra.

La desideravo con tutto me stesso. L'avrei trascinata sul tavolo e divorata di baci.

Immaginavo di portarla in bagno, vederla afferrare i pomelli del rubinetto e di prenderla lì, nel riflesso dello specchio. Credo che lei si sia accorta di quanto la desiderassi.

Ho continuato a guardarla negli occhi poi le ho detto: «Sai a cosa sto pensando?».

«Immagino.» Ha esitato qualche secondo, dopo con un leggero sorriso in cui mi è parso di intravedere una malizia nascosta ha detto: «Andiamo».

Quando siamo usciti pioveva come non avevo mai visto. L'acqua scendeva a secchiate.

Abbiamo chiamato un taxi e siamo andati da me.

Ho aperto una bottiglia di vino e l'ho raggiunta, stava guardando i miei dischi.

«Posso prenderne uno o sei di quelli che se li tocco mi caccia di casa?»

«Scegline uno da ascoltare ora.»

Sorseggiava il suo vino mentre guardava un po' di copertine. In quel momento l'ho trovata infinitamente sexy. Alla fine ha scelto Billie Holiday. «Va bene questo?» mi ha chiesto.

«Non potevi fare meglio.»

Dopo qualche secondo una voce meravigliosa stava cantando *Stormy Weather*.

Ci siamo seduti sul divano, cercavo di frenare la voglia che avevo di lei. Tutto quello su cui avevo fantasticato al ristorante, tutte le immagini che mi erano venute in mente di noi due nudi uno sull'altra sono diventate reali. Ricordo l'odore della sua pelle il collo i morsi i baci gli ansimi i brividi. Abbiamo iniziato a fare l'amore sul divano poi l'ho sollevata di peso e l'ho portata in camera. La finestra aperta, il temporale, il rumore della pioggia e il suo odore, l'aria che entrava e accarezzava i nostri corpi. Tutto sembrava essere messo in scena per noi. Erano giorni che doveva piovere, l'umidità e il caldo erano stati insopportabili.

Quella sera Sofia ha dormito da me. Al mattino mi sono svegliato presto e l'ho guardata dormire. Mi piaceva proprio quella ragazza, mi sono detto. Sono andato in bagno a fare la doccia e quando sono uscito lei era sveglia.

«Buongiorno, ben svegliata.»

«Buongiorno.»

Ho aperto il cassetto e preso un paio di mutande pulite: «Non è fantastico che da oggi possiamo stare nudi uno davanti all'altra?».

Ha sorriso alle mie parole.

«Non preoccuparti, faremo colazione vestiti, almeno per oggi.» E mentre lo dicevo le ho tirato una mia maglietta.

«Grazie, mi sento più a mio agio a masticare vestita.»

È andata in bagno, io in cucina.

Quando l'ho vista arrivare mi è sembrata ancora più bella. Il viso appena svegliata, i capelli lunghi, le gambe nude che spuntavano dalla maglietta.

«Se vuoi scendo a prendere dei cornetti dal panettiere. Altrimenti ho della frutta, fette biscottate, biscotti, marmellata.»

«Va bene così. Basta che hai il caffè.»

«Posso fartelo almeno in quattro versioni diverse.»

«Come si fa a fare il caffè in quattro versioni diverse?»

«Moka, cialde, americano, francese e in tutte le varianti: macchiato caldo, macchiato freddo, con schiuma o senza schiuma. Siamo preparatissimi qui.»

«Va bene la moka» mi ha risposto con un'espressione compiaciuta.

Abbiamo fatto colazione insieme, qualche fetta biscottata con marmellata, e una volta pronto il caffè siamo andati a berlo sul divano.

«Posso portarti con lo scooter alla bicicletta.»

«Grazie.»

«In realtà non vedo l'ora di sentire il tuo seno contro la schiena.»

Lei ha sorriso e io l'ho guardata in silenzio. Poi le ho preso la tazza del caffè dalle mani, l'ho appoggiata sul tavolino e mi sono avvicinato.

Sofia, sempre sorridendo, ha cercato di allontanarmi: «Devo andare a lavorare».

«Anche io.»

«Sono seria» mi ha detto mentre rideva. «Devo anche passare in albergo a cambiarmi, non posso andare al lavoro vestita come ieri. E poi...»

Stava per finire la frase ma le mie labbra le hanno impedito di farlo.

Ho infilato una mano dietro la sua schiena e l'ho trascinata verso di me facendola scivolare sul divano. Mi sono sollevato sulle ginocchia per togliermi la camicia, poi le ho sfilato le mutande.

«Non posso fare tardi» mi ha detto mentre alzava le braccia per farsi togliere la maglietta.

«Neanche io.»

Abbiamo fatto l'amore, le sue labbra sapevano di caffè, le baciavo e le mordevo. A Sofia ho sempre dato un sacco di morsi, da subito, come se baciarla non mi bastasse.

Non so se era perché eravamo ancora nel torpore del mattino o per altro ma mi è sembrato perfino più bello della sera prima.

Quando abbiamo finito siamo rimasti abbracciati un paio di minuti, dandoci ancora qualche bacio delicato. Poi, come se fosse scoppiato un incendio nell'appartamento, abbiamo fatto tutto di corsa. Doccia, vestirsi, uscire.

Con lo scooter siamo arrivati alla bicicletta, ci siamo dati un bacio veloce e siamo andati al lavoro. La sera avrei voluto passare in stazione per salutarla ma non potevo lasciare l'ufficio.

Non ci siamo visti per qualche giorno, nessuno dei due poteva raggiungere l'altro.

Quando è tornata a Milano non ha prenotato più la camera in hotel, è venuta direttamente da me. Ero stato io a chiederglielo e lei era sembrata felice.

Eravamo alla fine di luglio, da lì a pochi giorni saremmo andati in vacanza. Io in Grecia con Mauro e lei a Formentera con le sue amiche, non c'era stato tempo di organizzare qualcosa insieme.

Mi sono scoperto geloso, avevo paura che potesse incontrare qualcuno.

Mi spiaceva non partire con lei.

Mentre dentro di me abitava un'agitazione mista a paura le ho proposto di fare un weekend insieme. Lì ho rubato il cartello NON DISTURBARE.

In quei giorni mi ha confessato che avrebbe preferito una vacanza con me.

«E se incontri uno che ti piace che fai?»

«L'ho già incontrato.»

«E se ne incontri un altro?»

«Dubito, ma se dovesse succedere te lo dico.»

Quella risposta non mi era piaciuta molto, mi aspettavo tutt'altro.

Dopo un silenzio le ho detto: «Stai attenta, non farti ingannare dall'abbronzatura. Sono tutti più belli abbronzati e poi a settembre ti penti».

Ha sorriso e mi ha dato un bacio: «E se la incontri tu?».

«Le altre donne non le vedo neanche più, hai fatto una strage» le ho risposto facendole il solletico. Rideva e abbiamo fatto l'amore. Le risa hanno lasciato spazio agli ansimi e mentre eravamo sempre più coinvolti le ho fatto promettere che durante la vacanza non sarebbe andata con nessuno.

«Promettimelo.»

Mi ha guardato e sembrava felice della mia richiesta, con la faccia arrossata e gli occhi che le sorridevano ha detto: «Te lo prometto».

«Dimmi che sei la mia donna.»

«Sono la tua donna.»

«Ancora.»

«Sono la tua donna.»

Durante le vacanze ci siamo sentiti tutti i giorni. A volte ci sentivamo al mattino appena svegli, prima ancora di scendere dal letto. Dentro di me continuavo a parlare con lei tutto il giorno.

Quando ci siamo visti a settembre non era cambiato nulla, avevamo ancora più voglia di stare insieme.

«Allora, hai incontrato un'altra? Mi devo preoccupare?» mi ha chiesto appena ci siamo rivisti.

«Non ho incontrato nessuna, non c'era spazio.»

Fantasticavo su di noi, avevo la testa piena di immagini, cose che avevamo già fatto e altre che sognavo di fare. Cose semplici, niente di strano o fuori dal comune. Sognavo la vita di tutti i giorni con lei: fare la spesa, cucinare insieme, chiacchierare, guardare dei film, passeggiare, fare l'amore, ridere, viaggiare. Andare in pasticceria un sabato pomeriggio e assaggiare tutte le torte che avevano.

Il mese di settembre promette cose bellissime per due persone che stanno bene insieme. L'autunno sembra fatto per loro. Le città, dopo essersi svuotate per l'estate, tornano a vivere piene di buoni propositi.

A volte durante l'inverno tenevo la sua mano nella tasca del mio cappotto. La sciarpa che copriva la faccia mi impediva di baciarla. Ricordo quando girava per casa quasi nuda con i calzettoni di lana fino alle ginocchia.

Andavo spesso a Bologna, il suo appartamento era

più grande e accogliente del mio. Un giorno ho immaginato come sarebbe stata la mia vita lì con lei, lasciare tutto e iniziare da capo.

Ogni fine settimana lo passavamo insieme. Quando il lunedì tornavo alla mia vita di prima ero così pieno di noi che al mattino mi piacevano tutte le canzoni che sentivo alla radio, anche quelle brutte, quelle che prima non avrei mai ascoltato.

Un giorno al telefono mi ha detto: «Sabato è il compleanno di mio fratello, c'è un pranzo dai miei, ti va di venire?». Non me l'aspettavo.

«Pronto? Nicola? Ci sei ancora o sei svenuto?»

«Ci sono, ci sono. Non lo so, tu che dici?»

«A me fa piacere se vieni, almeno ti vedono e smettono di pensare che sei il mio amichetto immaginario.»

Ho riso. «Va bene, cosa devo portare?»

«Lo decidiamo quando sei qui.»

«Giusto. Devo vestirmi bene?»

«Sei sempre vestito bene. Rilassati, è un pranzo normale.»

Era la seconda volta in tutta la mia vita che incontravo la famiglia della ragazza con cui uscivo.

Il sabato del compleanno siamo andati a prendere un regalo al fratello, un maglione a collo alto.

Visto che eravamo in giro mi sono preso un po' di cose, Sofia mi ha aiutato a scegliere. Ho comprato pantaloni, camicie e un paio di maglioni. È stato divertente farlo insieme. Mi ha convinto anche a provare cose che non avrei mai scelto se fossi stato da solo. Ho scoperto che aveva ragione, stavo bene con i colori che mi aveva consigliato. Mi sono piaciuto nella nuova versione di me. Ho scoperto di stare bene con il verde, con il blu, con il bordeaux. Ma la cosa sorprendente è successa con la taglia dei pantaloni.

Avevo sempre comprato pantaloni taglia trentadue, invece lei sosteneva che io ero una trenta.

Aveva ragione lei, ci entravo, per anni ho indossato la taglia sbagliata. Ho vissuto con la misura sbagliata di me.

Abbiamo messo tutto in macchina e siamo andati a Reggio Emilia.

A pranzo non ho indossato il maglione e i pantaloni nuovi, avevo ancora bisogno di stare nelle mie cose, nell'idea di me. Come per sentirmi protetto.

La madre di Sofia è una donna a cui piace tenersi, sempre truccata e ben pettinata anche se è in casa da sola. Indossava dei pantaloni di velluto blu e un maglioncino color senape. Quando sono entrato aveva il grembiule. Il fratello era seduto sul divano insieme alla fidanzata mentre il padre era ancora fuori e sarebbe arrivato a momenti.

Ero agitato. Lucio, il fratello, aveva più o meno la mia età, sulla quarantina, ed è stato amichevole, ha fatto qualche battuta su Sofia, ma non c'era nessuna forma di competizione tra noi, come a volte velatamente accade. È un bravo ragazzo, lavora con il padre, hanno un rapporto di amore-odio. Mio padre non è mai stato un rivale da sconfiggere, ma un compagno da aspettare. Ho passato una vita in attesa di mio padre, da bambino per giocare, da ragazzo per scontrarmi, da adulto per essere consigliato. Lui era semplicemente presente, non si imponeva, non comandava, non tentava di spiegarmi il senso della vita. Mio padre era lì, così vicino, così lontano, tutti i giorni fino all'ultimo. Sono sempre stato io a cercarlo.

Lucio, l'ho capito subito, vive all'ombra del padre, un uomo che quando parla sembra sapere tutto, non dispensa consigli, dispensa la verità. Appena è entrato in casa, infatti, Lucio è cambiato all'improvviso, ha perso la sua spavalderia.

Quando mi sono presentato dicendo il mio nome, il padre mi ha guardato negli occhi e mi ha risposto: «So chi sei», poi mi ha stretto la mano, anzi sarebbe meglio dire stritolato. Non ho fatto trapelare nessun segno di disagio.

È stato un pranzo divertente, ha parlato quasi sempre il padre di Sofia. Ho capito subito che era importante per lui farmi sapere chi fosse, cosa avesse fatto nella vita, insegnarmi le gerarchie.

Per me era facile piacergli, dovevo solo fargli capire che mi aveva impressionato, e non mettere mai in dubbio la sua virilità.

Sul volto della madre si leggeva la noia di chi aveva già sentito milioni di volte gli stessi discorsi.

Quando ce ne siamo andati Sofia mi ha detto: «Impegnativo mio padre, vero?».

«Si può gestire.»

Lei mi ha sorriso.

«Sei piaciuto a tutti, soprattutto a me.»

«È questo che conta.»

Quando nella vita mi capita di incontrare persone come il padre di Sofia, con un grande ego da gestire, non mi infastidisco, non entro in competizione, anzi, provo un senso di tenerezza.

La necessità di piacere, di sedurre, il bisogno di sentirsi importanti, di vincere sempre alla lunga dev'essere sfiancante, almeno, per me lo sarebbe.

Quando ero bambino e arrivavano le giostre sotto casa, mi piacevano da matti, sceglievo sempre il cavallo o l'astronave.

C'era il gioco del codino, chi riusciva a strapparlo vinceva un giro gratis. I bambini impazzivano per prenderlo, quando toccava a loro ce la mettevano tutta e se non ci riuscivano si guardavano in giro per controllare che anche gli altri bambini non lo avessero preso, così da avere un'altra possibilità. Per loro il giro in giostra serviva a quello, ad acchiappare il codino. Quando ce la facevano si voltavano verso i genitori, fieri e orgogliosi. Il codino era il loro trofeo. Una volta mio padre mi chiese perché non ci provassi neanche, a prenderlo, capitava che il ragazzo della giostra me lo facesse scivolare addosso, mi sarebbe bastato allungare la mano e lo avrei afferrato. Gli adulti ridevano di me, ma a me non interessava, ero concentrato sul mio viaggio, non mi importava averne un secondo gratis, mi importava godermi quello che stavo facendo.

Il padre di Sofia è uno di quei bambini che si dimenano per il codino, la sua vita è piena di codini strappati, di persone che lo guardano con ammirazione. Ho sempre la sensazione che quelli come lui non si siano mai goduti il viaggio nonostante il milione di codini conquistati.

Quando mia madre e Sofia si sono conosciute è stato tutto più semplice.

Ci sono donne che nascono madri, che hanno il senso della maternità innato, lo si intuisce quando ancora sono bambine. Altre nascono mogli, altre amanti, altre libere da ogni ruolo. Mia madre è nata nonna. Ha quel tipo di atteggiamento che non incute alcuna paura, ci si affeziona immediatamente a lei, priva com'è di ogni cattiveria. Come le nonne sembra sempre un po' distaccata, fuori da tutto ciò che accade nel mondo. Sofia e mia madre si sono piaciute subito.

«Da quando stai con mio figlio è diventato anche più bello. Adesso sì che si veste bene.»

Credo avesse ragione, anch'io mi piacevo di più.

Con Sofia mi sentivo me stesso, anche se tutti mi dicevano che ero cambiato, che ero diverso. Invece ero più autentico, ero più vicino a quello che sentivo nel profondo. Non sembrava che lei volesse cambiarmi, semplicemente accadeva.

Qualcosa la rendeva unica rispetto a tutte le altre persone che avevo incontrato, eppure era famigliare, mi apparteneva. Una vicinanza remota. Anche se tutto era nuovo avevo la sensazione di conoscerlo già.

Ho capito che era la donna che avevo sempre sperato di non trovare nelle altre, quella di cui avevo paura. Sono sempre stato terrorizzato di innamorarmi di una come lei, perché pensavo che fino a una certa età fosse una sfortuna incontrare la donna della vita.

Prima di dedicarsi a una sola persona per il resto dei propri giorni si deve viaggiare, sperimentare, sbagliare, provare a diventare poeti o scrittori. Poi si è pronti.

Tutto ciò che accadeva con Sofia sembrava parlare di un futuro insieme. Adesso avevo voglia di viaggiare con lei, avevo voglia della nuova vita che vedevo in lei. Non mi piaceva più stare a casa da solo, la volevo lì, volevo riempire tutto di lei.

Mi bastava vederla girare per casa per essere felice.

Quando la domenica sera tornava a Bologna la casa sembrava vuota. La solitudine che avevo sempre desiderato e protetto con tutto me stesso mi regalava una mancanza, mi mancava una cosa che non sapevo nemmeno esistesse, prima di incontrarla.

La domenica appena svegli ci piaceva andare a correre al parco. Quando avevamo finito ci fermavamo a comprare i giornali e qualche croissant. Poi a casa doccia e una lunga colazione. Sofia è la persona con cui ho fatto le colazioni più lunghe della mia vita.

Insieme abbiamo imparato a fare le uova alla Benedict e ne siamo diventati dipendenti, all'inizio perché ci piacevano, poi perché erano una cosa nostra. Gli innamorati mettono i timbri sul mondo.

Una domenica, stavamo uscendo a correre, mi sono eccitato nel vederla con i leggings e non so come ci siamo ritrovati a fare l'amore. Quando abbiamo finito Sofia aveva il viso appoggiato al mio petto, con le dita giocherellava con i peli della mia pancia, io con i suoi capelli.

Non stavo pensando a nulla, non avevo preparato nessun discorso, tutto d'un tratto ho sentito l'impulso di chiederle di vivere insieme.

«Sai cosa stavo pensando?»

«Cosa?» mi ha chiesto.

Ho aspettato qualche secondo e non so perché ho risposto: «Pensavo che ho troppa fame per andare a correre».

Sei

Lunedì mattina quando se n'è andata ho chiamato Mauro e gli ho detto che avrei cenato da lui, avevo bisogno di parlare con un amico, sentivo di essere in crisi. Qualcosa dentro mi turbava. Durante il giorno ho cercato di non pensarci, mi sono fatto coinvolgere totalmente dal lavoro che stavo seguendo. La sera ho preso due pizze, una vaschetta di gelato, e sono andato da Mauro. Abbiamo cazzeggiato come sempre. Lui è il re del cazzeggio, la mia vita senza di lui sarebbe molto più triste e fredda.

Ero alla seconda fetta di pizza, e dopo aver dato una sorsata alla birra Mauro ha detto: «Ti ricordi quando abbiamo parlato delle nostre ambizioni e alla fine ci siamo detti che nella vita si sta bene quando tra ambizioni e risultati non c'è un'enorme sproporzione?».

Ho annuito.

«Ho pensato un po' a questa teoria e alla fine mi è venuta un'idea per un libro.»

«Quale?»

«È la storia di un pollo che si mette in testa di poter volare perché si accorge di avere le ali. Cerca di convincere tutti gli altri polli del pollaio che possono farlo anche loro. I vecchi polli saggi provano a spiegargli che i polli non volano, ma lui non si fa convincere e non smette di provarci. Se abbiamo le ali vuol dire che siamo destinati a volare, altrimenti perché Diopollo ci avrebbe fatto con le ali?»

«Ma che cazzo di storia è? E poi credo che "Diopollo" sia una bestemmia.»

«Se lo scrivi tutto attaccato no. Comunque... non interrompermi, è una storia fighissima invece, una storia vera, non come quelle stronzate New Age dove tutti sono speciali, tutti hanno un talento dentro di sé e bisogna solo trovarlo. Questa è una storia reale. Bisogna accettare la propria condizione e non mettersi in testa cose più grandi di noi. Ci sono animali destinati a volare e altri no. Punto. Ognuno di noi deve ambire al massimo delle proprie possibilità e non al massimo delle possibilità di qualcun altro.»

Il suo discorso non faceva una piega, non vedevo l'ora di sentire il finale.

«Il giovane pollo lotta contro tutti e per tutta la vita prova a volare ma non ci riesce. Qualche volta grazie alla spinta delle zampe e a un paio di colpi d'ala riesce a fare qualche metro ma niente di più. Alla fine muore senza avere mai volato una sola volta. Mai.»

«Porca troia, Mauro, è la storia più triste che abbia sentito in tutta la mia vita.»

«Lo so, però quanto è educativa? Ho pensato che sarebbe perfetta in un libro per bambini.»

«"Perfetta" è la parola giusta.»

«Non c'è niente da ridere» mi ha risposto ridendo anche lui, «ho pure cercato di scriverla ma dopo qualche riga mi blocco. Come si fa a scrivere un libro?»

«Non chiederlo a me. In tutta la mia vita ho scritto

due poesie quando andavo alle medie, oltre non sono andato.»

«Anche io ho scritto una poesia qualche anno fa.»

«Non me l'hai mai detto.»

«Perché è una cagata o forse non è ancora finita. Credo sia migliorabile.»

«È una poesia d'amore o esistenziale?»

«L'ho scritta come una poesia d'amore ma può anche essere letta in chiave esistenziale, è cortissima.»

«Come fa?»

Mauro ha fatto un mezzo sorriso, un sospiro e poi ha declamato: «"Sei tu, sei tu, sei tu. E adesso?"».

C'è stato un silenzio, non capivo se fosse finita o se stesse cercando di ricordare il resto.

«È finita così?»

«Credo di sì.»

«Niente male.»

«È una di quelle poesie corte, quelle giapponesi, come si chiamano?»

«Haiku.»

«Ecco, pensavo di aver scritto una cagata invece ho scritto un haiku.»

«"Sei tu, sei tu, sei tu. E adesso?" Lo sai che è perfetta per me in questo momento?»

«Ti sei stancato di Sofia?»

«No, anzi, mi piace un sacco.»

«E allora?»

«Sono nella merda.»

«Ti sei scopato un'altra?»

«Ma va'! Ieri le stavo per chiedere di venire a vivere con me.»

«Finalmente. E qual è il problema?»

«Sono confuso. Sento che è lei quella giusta, stiamo bene, credo di essere anche innamorato, ma ho paura di rovinare tutto. Stiamo bene in questa misura, se iniziamo a vivere insieme le cose magari cambiano e non funzioniamo più. Forse proprio perché stiamo bene dobbiamo lasciare le cose così, non toccare nulla. Se aumentiamo la pressione magari crolla tutto o, peggio, dopo un anno non la sopporto più.»

«In più per venire a vivere con te deve anche lasciare il lavoro, la sua casa, la vita a Bologna, le amiche. È una bella responsabilità.» Mauro ha tirato l'ultima sorsata.

«Lo so, ho pensato anche a questo.»

«Il fatto è che siete a un punto di non ritorno, puoi anche non chiederglielo adesso ma prima o poi questa cosa arriva a bussare alla vostra porta. Lo sapete che l'argomento è dietro l'angolo e vi aspetta. Anzi, mi sembra strano che non ne abbiate ancora parlato.»

«Per adesso non è successo.»

«Guarda, se conosco le donne posso dirti che probabilmente lei ha già indagato senza che tu te ne sia accorto.»

«In che senso?»

«A noi uomini a volte sembra che le donne ci stiano facendo delle semplici domande mentre dietro c'è un progetto, un ragionamento. Le donne indagano sempre.»

«Per esempio?»

«Quando ti chiedono: "Se fossi costretto a fare l'amore con una mia amica quale sceglieresti?". A noi sembra un gioco, ma dietro quella domanda c'è un mondo.»

«Me lo ha chiesto una volta.»

«Spero tu non sia stato sincero. Se ti piace una sua amica devi dire il nome di un'altra, meglio di una che magari non vedete mai.»

«Non mi ricordo cosa ho risposto. Sofia non mi sembra il tipo.»

«Non ti ha mai chiesto se nella vita vuoi dei figli?»

«No, mai. Una volta mi ha chiesto se dovessi avere dei figli quanti ne vorrei. Ma ha detto *dovessi* non *dovessimo*.»

Mauro mi ha sorriso complice.

«Oh cazzo, non ci avevo pensato.»

«Noi maschi siamo menti semplici, cosa hai risposto?»

«Che ne avrei voluti due.»

«Se tu avessi risposto che non volevi figli ti assicuro che nei giorni successivi l'argomento sarebbe risaltato fuori.»

«Dici?»

«Sicuro, non siete più ragazzini, non avete ancora affrontato l'argomento in maniera diretta perché state bene insieme ma la situazione, per come è adesso, ha vita breve. Tra un po' vorreste sapere dove state andando, sicuramente lo vorrà sapere lei. È una donna che ha superato i trenta.» Mauro mi ha guardato come se dovessi capire qualcosa di ovvio. «Se ha intenzione di avere figli, non ha molto tempo da perdere e prima o poi te lo chiederà. E tu devi saperlo quando te lo chiederà.»

«Cosa?»

«Cosa vuoi dalla vita.» Mauro adesso mi guardava come si guarda un bambino di cinque anni.

Mi scocciava passare per il perfetto idiota: «Ho già pensato a tutte queste cose, però ho paura lo stesso. Faccio fatica a fare il passo».

«Se le chiedi di lasciare tutto per venire da te, e lei accetta, non lo fa certo per giocare agli innamoratini. Sulla bilancia devi mettere un'offerta più alta.» Mi ha guardato negli occhi per qualche secondo, poi si è messo a fissare un punto lontano fuori dalla stanza come avrebbe fatto un attore prima della battuta finale: «Devi chiederti se è lei la donna con cui vuoi stare per il resto della tua vita. Se è quella giusta».

Ora mi sentivo veramente come un bambino di cinque anni: «Perché? Esiste quella giusta?». A volte avevo ancora paura di accettare che Sofia lo fosse.

Ha fatto una pausa. Chissà se stava pensando a Michela. «Esiste quella per cui vale la pena provare a scoprirlo. Posso dirti che lei è diversa dalle altre con cui sei stato, e lo sei anche tu, sia con lei che in generale. Sei cambiato molto da quando stai con Sofia, e sei anche più tranquillo, meno agitato.»

«Sento che è lei, ma i dubbi sono più su di me. Dico che voglio avere dei figli ma ora che ci sono vicino mi cago addosso. Voglio veramente stare per sempre con la stessa donna? Ne sarei capace? Adesso non sento il desiderio di andare con altre, ma sarà così sempre o una mattina mi sveglierò e mi ritroverò incastrato?»

«Devi fare quello che senti adesso, chi può saperlo cosa succede nel futuro?»

«E se incontro una che mi piace di più? Una più intelligente, più simpatica, con cui sento che potrei stare meglio... cosa faccio?»

«Ne parli con Sofia e le dici quello che ti è successo. Lei s'incazzerà, ti rinfaccerà che le hai fatto perdere tempo, rovinato la vita e cose di questo tipo e poi ciao ciao, la vita continua per tutti.»

«Come si fa a sapere con certezza se siamo fatti per stare insieme?»

«Nessuno lo sa.»

«A volte quando torna a Bologna sono felice di stare solo. Non significa che non mi manchi o che sia stanco di averla lì o che non abbia passato due giorni belli, però sono contento di essere finalmente a casa solo, in silenzio, con le mie cose, la mia musica, i miei libri.»

«Ma quella voglia l'avrai sempre, credo.»

«E quindi?»

«Mica stai andando in prigione, puoi vivere con lei e ritagliarti dei momenti per te. Puoi sempre venire qui a mangiare una pizza come adesso, lei tornerà a trovare le sue amiche e la sua famiglia. Anzi sei fortunato che non è di Milano così ogni tanto sarà costretta ad andare via qualche giorno.»

«Qui non avrebbe altre persone a parte me.»

«Sarà così all'inizio, poi troverà un lavoro, avrà delle colleghe, andrà in palestra, le presenterò io qualcuna con cui esco, mica parla cinese.»

«Le tue storie durano come un gatto in tangenziale.»

Mauro è scoppiato a ridere. Da quando Michela lo aveva piantato usciva con una donna dopo l'altra. Ogni volta era un fallimento diverso.

«Ci sei già dentro, non hai altra scelta, puoi solo andare avanti» ha detto poi.

«Non sono sicuro di essere capace.»

«È un rischio. Devi solo capire se per te ne vale la pena.»

«Era così bello qualche anno fa quando uscire con una era solo uscire con una. Non necessariamente quella storia doveva andare da qualche parte. Bastava stare bene insieme e farsi compagnia. Adesso alla nostra età sembra di dover partire per un lungo viaggio, sembra di dover scegliere la destinazione.»

Siamo stati in silenzio per un po', poi gli ho detto: «Sai un'altra cosa? Ogni tanto è come se non riuscissi ad accettare il suo amore. Il fatto che una come lei mi ami mi sembra troppo, ho paura che si stia sbagliando e non se ne sia accorta, come se le stessi tirando una fregatura».

«Questa mi sembra una cazzata, l'unica cosa che devi fare è parlare con Sofia, dirle che ti piacerebbe che si trasferisse da te, che hai paura e che senti una grande responsabilità. È adulta e farà le sue scelte, e se poi saranno sbagliate pace, è la vita. Non potete saperlo finché non provate.»

Non ho risposto, ho sospirato. Avevo voglia di cambiare discorso: «Vuoi un'altra birra?».

«Sì, grazie.»

Quando sono tornato con le due bottiglie Mauro ha riattaccato: «Piuttosto, non hai voglia di aiutarmi a scrivere il libro sul pollo?».

«Non credo di essere capace. La poesia invece mi piace molto. Posso dirla a Sofia? Dicendo che è tua ovviamente.»

«Certo, puoi anche raccontarle la storia del pollo che non vola, solo non dirle che è autobiografica.»

«Perché? Lo è?»

«Certo, sono io che devo affrontare i miei fallimenti.»

«Mavaffanculo.»

I giorni successivi ero di un umore strano. La cercavo meno al telefono, quando ci sentivamo era quasi sempre lei a chiamare.

«Cosa c'è, Nicola? Ho detto qualcosa che ti ha dato fastidio?» mi ha chiesto durante una telefonata.

«No, perché?»

«Ti sento lontano.»

Ho fatto una pausa: «Sofia».

«Dimmi?»

«Mi ami veramente?»

«Sì.»

«Non hai mai dei dubbi su di noi?»

«Certo.»

«Di che tipo?»

«A volte sto così bene con te che ho paura non sia vero. Mi chiedo se sto facendo la cosa giusta, se ti amerò per sempre o se un giorno sarà tutto svanito o se tu smetterai di amarmi. Perché me lo chiedi? Cosa stai cercando di dirmi?»

Ho sentito che era agitata, spaventata. Dopo un lungo silenzio ho detto: «Voglio che tu venga qui, per sempre. Voglio vederti tutti i giorni».

Sette

Ci sono voluti sei mesi prima che Sofia si trasferisse da me, nella mansarda in cui abitavo da dieci anni. Alla fine aveva deciso di licenziarsi, per il momento avrebbe lavorato a stagione in uno show-room di Milano. Le avevo chiesto diverse volte se era sicura di voler lasciare il suo posto da product manager. Mi aveva risposto sicura: «È solo per un periodo, in attesa di capire cosa voglio fare».

Il trasloco ti dà la possibilità di fare una pulizia radicale del superfluo. Si ha voglia di essere più leggeri.

Sofia è stata brava, io ho cercato di fare lo stesso. Lei eliminava cose per far spazio al futuro, io per far spazio a lei.

La cernita è stata dura, era facile liberarsi degli oggetti, meno dei ricordi legati a quelli.

Con una maglietta sono stato capace di cambiare idea dieci volte, la buttavo nel sacco, poi la prendevo e la rimettevo nel cassetto, poi ancora nel sacco.

In quella maglietta c'erano un concerto, una vacanza, le domeniche a casa e una serie di donne che l'avevano indossata mentre facevano colazione con me.

Quando fai un trasloco senza saperlo ridisegni te stesso.

L'ultima notte a Bologna Sofia ha organizzato una festa per dire addio alla casa, e regalare delle cose che non voleva portare a Milano. Siamo andati a letto ma c'è voluto un po' prima di addormentarci.

Non so esattamente a cosa stesse pensando quando restavamo in silenzio, ma credo che oltre all'eccitazione, alla voglia di stare finalmente insieme, sostituire le lunghe telefonate con delle conversazioni di persona, c'era anche il dubbio di star facendo la cosa giusta, la paura di inciampare e cadere, forse per questo a un certo punto ci siamo aggrappati l'uno all'altra in un abbraccio.

Quando è stato il momento di lasciare le chiavi di casa sul tavolo, Sofia aveva un'espressione malinconica.

«Ti aspetto giù, devo fare una telefonata di lavoro.» Non era vero, volevo solo lasciarle tutto il tempo e lo spazio di cui aveva bisogno. Un pezzo di vita si stava staccando in quel momento.

Durante il viaggio la malinconia sembrava sparita e aveva lasciato posto a un entusiasmo, la voglia di arrivare a casa, svuotare gli scatoloni, iniziare a sistemare le cose, prendere possesso dei nuovi spazi.

La mansarda giorno dopo giorno si vestiva della presenza di Sofia, piccoli cambiamenti che la rendevano ancora più calda e accogliente. I fiori alla finestra, la vestaglia rosa appesa alla porta della camera da letto, le foto di noi due insieme, le candele, la coperta da usare sul divano, le sue creme in bagno, l'asciugacapelli, le spazzole. I vestiti e soprattutto le scarpe. Ho pensato che nella vita precedente fosse stata un millepiedi, era l'unica spiegazione.

Molte volte era lei a cucinare e questo aveva riempito la casa di nuovi profumi, odori.

Anche la lampada che aveva portato con sé regalava una luce diversa.

La mansarda sembrava fatta apposta per noi, della misura giusta. Non era molto grande e proprio per questo andava bene. Era bello starsi addosso, non avere distanza tra noi. Sentivo che sarei potuto invecchiare con lei in quella casa senza avvertire la necessità di spazi più ampi.

Avevamo molte cose da scoprire e conoscere l'uno dell'altra. Le chiedevo del suo passato, mi raccontava di lei da bambina, poi adolescente e poi donna, io cercavo di immaginarla. Dopo un po' ho smesso di interessarmi, i suoi racconti mi annoiavano non perché in quelle storie io non c'ero, ma perché per uno strano motivo non mi importava più il suo passato. Preferivo pensare che la sua vita fosse iniziata con me.

La sua curiosità verso il mio passato, invece, non è mai scemata, voleva sapere tutto, i viaggi che avevo fatto, se ero bravo a scuola e all'università, come ho iniziato a lavorare e soprattutto che tipo di uomo ero stato con le altre donne. Se le avevo trattate bene, male, se ero stato carino o uno stronzo. Voleva sapere se avevo una preferita e se sentivo ancora qualcuna di loro. Se c'erano scambi di messaggi e cose del genere.

Un giorno, dopo aver fatto l'amore, rompendo un silenzio ha detto: «Quante donne sono state in questo letto prima di me?».

Ho dato una risposta vaga, ma ho capito che sentiva la presenza di un passato. Qualche giorno dopo le ho detto che avevo voglia di prendere un materasso più comodo, più duro, come quello che aveva a Bologna. Ho buttato il mio.

La convivenza sembrava la scelta migliore che avessimo mai fatto nella vita.

Il nostro tempo era ancora pieno di lunghe chiacchierate e di silenzi gonfi d'amore.

Tutto era una continua conferma che ci trovavamo nel posto giusto. Non erano tanto le cose che facevamo a essere nuove, ma l'emozione che si provava nel farle insieme, perché a pensarci bene non facevamo nulla di speciale. Condividere quei momenti rendeva tutto unico.

Le sere d'inverno tornavo dal lavoro, magari scappando da una pioggia, aprivo la porta di casa, entravo al caldo e la trovavo lì, in cucina, con la luce della cappa accesa, la pentola sul fuoco e il vapore che saliva. Darsi un bacio, aiutarla nelle ultime cose, apparecchiare, sedersi e dirsi grazie.

In quel periodo avremmo dovuto mettere il cartello sulla porta di casa: NON DISTURBARE.

Ma chi aveva voglia di uscire più, andare nei locali, chiacchierare ad alta voce perché altrimenti non si sentiva nulla? Perché uscire quando quello che desideravamo di più era già lì con noi? Al massimo potevamo invitare degli amici a cena, ma noi avevamo poca voglia di lasciare casa. Almeno i primi tempi.

Non ci serviva altro, bastavamo a noi stessi, non dovevamo creare situazioni particolari per essere felici, la felicità era lì con noi e dovevamo solo viverla. Era naturale e ci coinvolgeva totalmente, perché sentivamo che tutto era possibile, ci sentivamo invincibili e ogni cosa era a portata di mano. Insieme potevamo fare tutto e volevamo le stesse cose.

Sembrava una sinfonia, perfino il rumore dei piatti e delle posate mentre apparecchiavo era diventato un suono romantico.

Cenare, sparecchiare e caricare la lavastoviglie, mettersi sul divano a guardare un film, lavarsi i denti insieme in bagno, andare a letto, restare abbracciati, fare l'amore. Cose di tutti i giorni, eppure ci facevano sentire ricchi, tutto ci dava la sensazione di possedere qualcosa di importante. «È la vera ricchezza» ci siamo detti un giorno.

Quella sensazione andava oltre le mura della mansarda, a Sofia piacevano i miei amici e lei piaceva a loro, oltre al fatto che piacevamo alle rispettive famiglie. Due persone, dopo che sono diventate una coppia, devono piacere a un numero infinito di altre persone. Tutto è un multiplo di sé.

Abbiamo iniziato anche a viaggiare. Lei era bravissima a trovare promozioni, voli low cost, pacchetti tutto compreso e spesso il weekend si partiva col bagaglio a mano. Perfino lei riusciva a far stare tutto in una valigia piccola.

Insieme abbiamo visto Praga, Berlino, Londra, Bordeaux. Dormire in albergo, passeggiare per strade nuove, chiudersi in una spa per ore, sauna, bagno turco, massaggi. Sedersi a fare colazione e restarci per un tempo infinito.

Ricordo quando siamo andati a Praga, abbiamo iniziato la colazione con frutta, yogurt e qualche cereale. Poi un secondo turno, pane tostato con formaggi, marmellate, prosciutto, salmone, uova. Ci siamo messi a ridere immaginando quello che avranno pensato di noi. Sembrava non mangiassimo da giorni.

A seconda delle stagioni andavamo in giro per sagre, mercatini della domenica, degustazioni, a mangiare castagne, tartufi, funghi.

Tornavamo a casa la domenica sera con vasetti di miele, salami, frutta, verdura, formaggi, vino, biscotti pieni di nocciole. Anche i fine settimana in cui restavamo a casa erano belli, le domeniche sotto il piumone.

63

Da ogni viaggio tornavo sempre più innamorato.

Con lei tutto sembrava accadere senza inciampo. Con altre donne durante un viaggio era capitato che ci si trovasse bloccati di fronte a stupide decisioni. Non riuscivamo a scegliere il ristorante giusto, la zona da vedere, il quartiere adatto a noi. Ricordo infiniti minuti a leggere il menu dalla strada. Si diventava infelici facilmente. Con Sofia c'era sempre un'energia capace di rompere ogni indugio.

Era un presente ricco e noi dovevamo semplicemente farne esperienza.

Dopo un anno che convivevamo continuavo a vedere lo stesso futuro che avevo immaginato i primi giorni. Lei era ancora un veicolo di possibilità, mi sembrava che insieme avessimo la forza di cambiare il corso del destino, ampliare i limiti del futuro. Tutto con lei mi sembrava autentico.

Un giorno, dopo essere stati a Reggio Emilia a trovare la sua famiglia, si è addormentata in macchina. Mi sono voltato verso di lei e l'ho osservata qualche secondo. Mi sono chiesto chi fosse veramente, come mai proprio lei avesse avuto la forza di stravolgere la mia vita e farmi desiderare qualcosa di diverso e sconosciuto.

In quel momento ho desiderato dei figli con lei.

Nei giorni successivi ho capito che non mi bastava più stare con lei nel presente, volevo progettare un futuro.

Quando mi immaginavo con dei figli tutto mi faceva sentire coinvolto in un modo completamente nuovo. Costruire una famiglia con Sofia mi sembrava all'improvviso l'unica cosa che avesse senso, l'unico passo in avanti.

Prima di incontrare Sofia ero stato con diverse donne, non mi ero annoiato di loro, sarei potuto andare avanti per anni. Ogni incontro era una cosa nuova e quando una cosa è nuova è difficile annoiarsi. Ero io a essere sempre uguale, mi ero venuto a noia, le stesse parole, le stesse strategie, lo stesso modo di flirtare, di fare l'amore e di allontanarmi quando non mi andava più.

Non c'era nulla di me che potesse stupirmi, conoscevo così bene la parte che recitavo da essere diventato un attore stanco del suo ruolo, il protagonista di una soap opera che per anni si comporta sempre nello stesso modo.

Conoscevo il palcoscenico a memoria, era ora di uscire di scena.

D'un tratto qualsiasi scelta diversa dalla vita con Sofia sembrava non essere altro che un eterno restare, una perdita di tempo, la ripetizione di qualcosa che avevo già ampiamente vissuto e capito. Sentivo che avrei girato a vuoto. Stare con lei mi trasformava. Con Sofia e con quello che poteva succedere insieme a lei mi sembrava di rispondere a degli istinti che si erano presentati alla mia porta. L'idea di occuparmi di lei e dei nostri figli riempiva i miei sensi. Era arrivato il momento di fare quello che mio padre aveva fatto con me.

Non so se la voglia di prendermi cura di lei fosse già in me o se sia stata lei a portarla, so solo che nulla mi interessava di più di tenerla tra le mie braccia e proteggerla dal mondo.

In passato per gioco avevamo parlato di figli, ci piaceva immaginare che faccia avrebbero avuto, ci piaceva comporli scegliendo parti del nostro corpo: «Spero abbiano il tuo naso, la mia bocca, le tue gambe, i tuoi occhi, i miei denti, le tue labbra».

Lei ne voleva quattro, io mi accontentavo di due, così come le avevo risposto la primissima volta che me l'aveva chiesto. Giocavamo sui nomi e su cosa avrebbero fatto da grandi.

Una sera abbiamo fatto l'amore e sono venuto dentro di lei. Al momento non mi ha detto nulla, ha fatto un'espressione sorpresa. In bagno mentre ci lavavamo i denti mi ha detto: «Scusa ma così senza dirmi niente? Ti sei sbagliato o hai deciso qualcosa senza di me?». Sorrideva, non era arrabbiata o preoccupata.

«Ho fatto quello che ho sentito. Dici che è pericoloso?»

«Dipende da quello che vuoi nella vita.»

«O da quello che vogliamo. Cosa ne pensi dell'idea di avere un figlio?»

«Un piccolo Nicola?»

«O una piccola Sofia» le ho risposto e le ho accarezzato il viso.

Ha ripreso a spazzolarsi i denti e poi mi ha detto con lo spazzolino in bocca: «Credo che il mondo ne avrebbe bisogno».

Da quel giorno non abbiamo più preso nessuna precauzione. Non facevamo l'amore con l'intento di procreare, abbiamo continuato a farlo come sempre, quando ci andava. La natura avrebbe fatto il suo corso.

Noi non avevamo fretta, eravamo felici senza un figlio e lo saremmo stati con un bambino in arrivo.

«Mio fratello» mi ha detto un giorno Sofia «ci sta provando da quasi due anni, non è proprio una cosa facile, a quanto pare.»

«Ce la metterò tutta.»

«Vorrei risponderti "anche io" ma non saprei in che modo farlo.»

Avevamo la sensazione che il futuro sarebbe stato ancora più bello, più ricco. Un sogno da realizzare.

Un venerdì pomeriggio siamo partiti per un weekend a Barcellona.

Il sabato sera siamo andati a bere birra e mangiare

tapas, poi abbiamo cenato in un ristorante sulla Barceloneta. Sul finale ci siamo pure bevuti due Margarita. Abbiamo passeggiato sul lungomare, sembrava di stare in California.

La sera, tornati in albergo, mentre facevamo l'amore ho sentito che poteva essere la volta buona: «Sto per metterti incinta Sofia, sto per metterti incinta».

Nel dire quelle parole ho provato un brivido. Mi ero eccitato, per questo ho continuato a ripetergliele. Lei mi guardava, eravamo leggermente ubriachi. I suoi occhi sembravano lucidi di felicità.

Ci siamo addormentati uno sull'altra senza nemmeno accorgercene. Quando ci siamo svegliati ci avevano rubato tutto. Avevamo lasciato la finestra aperta e i ladri erano entrati mentre dormivamo. Non ci siamo accorti di nulla, ci abbiamo messo un po' a realizzare quello che ci era accaduto. Forse avevano usato lo spray narcotizzante, nessuno dei due sapeva se erano vere le storie dello spray o se erano leggende.

Ci hanno portato via un sacco di cose, contanti, il mio orologio, gli occhiali da sole, la sua borsa, un anello e perfino la mia valigia, probabilmente era servita per mettere dentro la refurtiva.

La cosa che ci infastidiva di più era l'idea di qualcuno che gironzolasse in camera mentre dormivamo, l'idea di essere stati osservati. Eravamo completamente nudi quella notte. La cosa incredibile era che il ladro o i ladri erano stati dei gentiluomini. Avevano rubato la macchina fotografica ma avevano tolto la scheda con le nostre foto e l'avevano lasciata sul tavolino. A fianco avevano lasciato le carte di credito, i documenti di entrambi. Tutto era appoggiato in ordine e in fila. Il fatto che fossero stati così premurosi e gentili ci aveva colpito.

Certo non eravamo felici, però siamo riusciti a goderci il nostro ultimo giorno a Barcellona.

Il modo in cui Sofia aveva reagito al furto mi aveva fatto capire che al mio fianco volevo una donna così.

A Barcellona non è rimasta incinta.

Otto

«E se tu fossi innamorato di una idea di me e non di quella che realmente sono?» mi ha chiesto un giorno Sofia mentre eravamo a letto.

Non sapevo cosa rispondere. «E se succedesse a te?»

È rimasta in silenzio qualche secondo poi mi ha detto: «Insegnami a trovarti, a conoscere quello vero».

Credo che le nostre paure fossero dettate dal fatto che tutto tra noi scorreva senza ostacoli, senza tentennamenti e la cosa iniziava a preoccuparci.

Il giorno che ha rotto l'incantesimo, infatti, era dietro l'angolo.

Una sera abbiamo deciso di organizzare una cena da noi, e viste le dimensioni della casa era una impresa. Oltre le sei persone diventava tutto complicato, qualcuno finiva per cenare sul divano e io in piedi in cucina.

Avevamo invitato un paio di amiche di Sofia, Federica ed Elisabetta, insieme agli immancabili Mauro e Sergio.

La serata era stata divertente finché non è successa una cosa che nessuno si aspettava.

Sofia aveva cucinato i tortellini in brodo, ogni tanto i nostri sguardi si incrociavano e sorridevamo felici. Era bello avere in casa i nostri amici, in loro compagnia ci siamo scoperti ancora più affettuosi tra di noi.

Avevamo tagliato degli affettati, dei formaggi e stavamo bevendo del vino, discorsi frivoli del sabato sera. Mauro stava dicendo a tutti quanto trovasse noiosa la mia passione per i vinili.

«E poi non puoi portarli da nessuna parte, non è che puoi ascoltarteli in macchina o mentre passeggi, devi per forza essere in una stanza. Non li sopporto quelli come voi.»

«Voi chi? In che categoria sono finito?»

«Ma sì, voi, i nostalgici, quelli di "si stava meglio quando si stava peggio".»

«Io?»

«Vi ricordate che quando sono usciti i telefonini c'erano quelli che dicevano che non ne avrebbero mai avuto uno? O quelli che dicevano che avrebbero continuato a scrivere a penna o al massimo con la macchina da scrivere perché il computer era troppo freddo? Dove sono quelle persone adesso? Dove si sono nascoste? O come quelli che: "Non comprerò mai un'automobile, è poco romantica, senti che bello il rumore degli zoccoli dei cavalli sulla strada, molto meglio le carrozze". Tu con i tuoi dischi sei uno di loro. Viva la candela, abbasso la lampadina.»

Non ho risposto, l'effetto nostalgia su di me faceva molta presa.

Per guardare una foto o ascoltare una canzone o leggere il giornale la nuova generazione tocca sempre un vetro o i tasti del computer. Abbiamo sacrificato i sensi, un mondo ci è stato sfilato via dalle dita senza che ce ne accorgessimo.

Se l'avessi detto a Mauro mi avrebbe massacrato. Ho lasciato che continuasse.

«Dài, adesso dimmi anche quella puttanata di quanto è bello sentire lo scoppiettio della puntina, mavaffanculo. Immaginati una persona che mentre ti parla fa quel rumore, *cri cri cri*, che fastidio ti darebbe? Invece se lo fa un vinile diventa romantico. E spesso saltano pure, ma che c'è di bello nella musica balbettata? Tutte le volte che siamo qui e metti un disco non riusciamo neanche a cenare o a buttarci un momento sul divano che ogni venti minuti devi alzarti a girarlo o cambiarlo. È come avere un televisore senza telecomando.»

Mentre Mauro esprimeva le sue tesi ci siamo spostati a tavola.

«Vedi cosa significa avere una donna in casa?» ho detto. «Prima che Sofia venisse a vivere qui non ho mai avuto una zuppiera.»

«Dà proprio un senso di casa, di famiglia. Quelli soli come me non ce l'hanno la zuppiera» ha detto Mauro.

«Io vivo sola e la zuppiera ce l'ho» ha detto Elisabetta.

«Perché sei una donna.»

«Conosco anche uomini soli che ce l'hanno, ma credo sia dovuto alla nostra cucina. Secondo me a Bologna ce l'hanno tutti.»

«Forse la zuppiera è una buona ragione per trovare una donna» ha chiuso Mauro. Tutti sono scoppiati a ridere.

Sofia serviva i tortellini.

«Io sono sposato e ho una figlia ma la zuppiera non ce l'abbiamo» ha detto Sergio.

«Da quanto tempo sei sposato?» ha chiesto Federica.

«Quasi dieci anni.»

«Che bello, dieci anni.»

«Bellissimo, non vedi la mia faccia?»

«Come mai non è qui?»

«È la mia serata libera.»

«Lo sai che ti invidio?»

«Anche lui» ha risposto Mauro, sapendo che Sergio non ne poteva più della moglie.

Sergio ha riso.

«Volevo avvisarti» ho detto rivolto a Elisabetta per cambiare discorso «che da quando Sofia abita qui conosco i tuoi segreti. Sento le vostre telefonate e ho capito molte cose.»

«Che cosa hai capito?»

«Avevo un'idea diversa di te.»

«In che senso?»

«Intanto non sapevo che aveste sempre così tante cose da dirvi.»

«In realtà ultimamente ci sentiamo meno.»

«Ma se vi chiamate tutti i giorni!»

«Perché? Voi due non vi sentite tutti i giorni?» mi ha detto indicando Mauro.

«Sì, ma le nostre telefonate durano sì e no tre minuti.»

«A quanto pare voi non parlate neanche quando vi vedete» ha detto Sofia. «Io mi vedo con un'amica il tempo di un caffè e so tutto di lei quando ci salutiamo. Come sta, se è felice, se va tutto bene con il fidanzato, se sono in crisi. Nicola si vede con Mauro, stanno insieme delle ore e quando gli chiedo di che hanno parlato lui mi dà solo risposte vaghe e non sa dirmi niente.»

«Noi non parliamo di queste cose, dei problemi di coppia o della fidanzata, a meno che non sia successo qualcosa di grave.»

«E di cosa parlate quando state insieme? Vi guardate negli occhi?»

«Di altre donne, nella maggior parte dei casi» ha detto Sergio.

«Ah ecco, immaginavo.»

«È tutto più facile tra maschi, anche l'amicizia è più semplice» ha detto Mauro.

«Ah sì?» ha detto Elisabetta.

«L'altro giorno sono andato al compleanno di una ragazza che lavora con me e sono rimasto sorpreso del fatto che ricevesse solo complimenti dalle altre donne: "Come sei bella questa sera", "Che bello questo vestito", "Hai dei capelli bellissimi", "Sei ringiovanita", "Sei un fiore". Lei rispondeva ai complimenti minimizzando o dicendo il contrario: "Mi ha tagliato i capelli così ma non mi piacciono", "Oggi mi sento grassa, gonfia", "Questo vestito l'ho preso in un negozio ma non ero convinta, mi sembra mi faccia i fianchi larghi". Tra uomini succede l'esatto contrario, i tuoi amici passano il tempo a insultarti e tu provi a difenderti come puoi. Al mio compleanno questi due sono andati avanti a dire che ero invecchiato, che stavo diventando calvo, che avevo una pancia da vecchio, che tra poco non mi avrebbe tirato neanche più. E mica mi sono offeso. Provate voi ad andare al compleanno di una e dirle che è diventata una cessa, che è inguardabile e che nessuno la scoperà più per l'eternità. Scatta un pianto isterico e tirate di capelli come in una puntata di "Desperate Housewives". Tra l'altro, appena avete finito di farvi i complimenti, vi pugnalate alle spalle: "Certo che quel vestito non le sta proprio bene, non voglio sembrare cattiva ma sbaglio o ha preso qualche chilo?".»

«Non è vero!» ha detto Federica.

«Un po' sì» ha ribattuto Elisabetta sorridendo.

«Però ci sono un sacco di cose che invidio alle donne» ha continuato Mauro.

«Le tette?» ho risposto.

«No.»

«La zuppiera» ha detto Sofia.

«La capacità naturale che hanno di essere più persone.»

«Non ti seguo» ha detto Elisabetta.

«La capacità di essere in un modo con un uomo e in un altro con un uomo diverso. Con uno decidete di essere serie, tutte piene di valori tradizionali, e con un altro delle zoccole senza limite.»

«Perché, voi no?»

«Io riesco a essere un'altra persona solo se sono all'estero» ha detto Mauro. «Ti ricordi in vacanza in Grecia quando ho detto a quella ragazza danese di essere un cantante lirico e lei continuava a chiedermi di farle sentire qualcosa? Alla fine ho fatto un pezzo della *Cavalleria rusticana* e la cosa assurda è che mi ha creduto. Come si chiamava, Karen? Anzi no, Kirsten, Karen è quella che ti sei scopato tu» ha chiosato indicandomi col cucchiaio dei tortelli.

Sofia mi ha guardato subito, a me si è gelato il sangue.

C'è stato un imbarazzo generale. Mauro si è guardato intorno e poi ha aggiunto: «Cosa ho detto? Mica stavate insieme quando siamo andati in Grecia. Vi eravate già conosciuti ma non eravate una coppia».

«Tranquillo, ci siamo messi insieme settimane dopo» ha detto Sofia alzandosi e andando ad aprire il frigorifero.

«Che spavento, pensavo di aver pestato la merda più grossa del pianeta.»

Era vero, io e Sofia non stavamo ancora insieme, però durante quella vacanza ci sentivamo tutti i giorni, le dicevo che mi mancava da morire, che pensavo sempre a lei e quando sono tornato non le ho detto della ragazza danese. Mi aveva chiesto se fossi stato con qualcuna e le avevo risposto di no.

La serata è continuata senza grandi drammi, sapevo che finché ci fossero stati in casa loro ero salvo, poi avrei dovuto affrontare la situazione. Mi sono seduto sul bracciolo del divano vicino a lei e le ho preso la mano, lentamente, senza fare movimenti plateali, l'ha sfilata.

Ero fottuto, sarebbe stata una lunga notte e avevo torto marcio.

Quando sulla porta abbiamo salutato tutti, se ne sono andati anche i sorrisi che c'erano sulle nostre facce.

L'atmosfera è cambiata subito, lei è andata direttamente in bagno, io ho sistemato un po' in giro.

Non sapevo cosa fare, non era un vero tradimento ma le avevo mentito. Ricordo la sera che sono stato con la danese, la ricordo bene. Erano sei ragazze tutte in vacanza insieme, avevano affittato una casa. Le avevamo conosciute in spiaggia e ci siamo uniti a loro per la cena. Quando durante la serata ho capito come sarebbe finita, mi sono allontanato e ho chiamato Sofia. Volevo darle la buonanotte ma soprattutto esaurire le nostre telefonate giornaliere, così non mi avrebbe più chiamato e sarei stato libero di agire. Ero stato anche geloso, le continuavo a chiedere se avesse conosciuto qualcuno, con chi fosse a cena, dove sarebbe andata dopo. La cosa assurda è che la gelosia era vera, non fingevo. Forse quando ho visto quanto fosse facile fare quello che stavo per fare, ho pensato che potesse farlo anche lei.

Adesso ormai sapeva, non potevo fingere. Sono andato in bagno, non mi guardava, forse voleva evitare ogni discussione. Sapevo di averla ferita e di avere torto, ma non sapevo come approcciarla. Alla fine ho scelto di scusarmi.

«Mi dispiace.»

«Di cosa? Ha ragione Mauro, non stavamo insieme» mi ha detto, ma era ovvio che non lo pensasse sul serio.

Stavo per dire un'altra cosa ma lei mi ha interrotto:

«Non fa nulla, veramente, non mi va di parlarne, sono stanca, voglio solo andare a dormire».

«Come vuoi» le ho detto.

Al mattino quando mi sono svegliato ho trovato un messaggio di Mauro: *Spero di non aver detto una cazzata. Nel caso scusami, sono un coglione.*

Sofia era ancora come la sera prima, non le era passata. Quando sono uscito di casa ha fatto in modo di essere in bagno a farsi la doccia così da non dovermi salutare o peggio darmi il solito bacio.

Sapevo già che la sera avremmo dovuto affrontare il discorso, mi sarei dovuto scusare ancora. Ero dispiaciuto sul serio.

Al lavoro cercavo di trovare le parole giuste da dirle quando sarei tornato a casa, avevo pensato anche di comprarle dei fiori o proporle una cena fuori ma mi sembrava di peggiorare la situazione.

Mentre salivo in casa mi sono guardato nello specchio dell'ascensore e cercavo un'espressione per le mie scuse. Prima di entrare ho fatto un lungo respiro, sarebbe stata una serata pesante o magari invece le era passata e ci avremmo anche riso sopra. Quando sono entrato la luce era accesa. Ho appoggiato le mie chiavi sul tavolo e ho visto un biglietto: «Sono andata dai miei».

«Cazzo.»

Mi sono seduto e ho riletto il biglietto. Poi ho preso il telefono e l'ho chiamata ma non mi ha risposto.

Ho avuto paura, paura di perderla per sempre, di aver rovinato tutto. Ho provato ancora a chiamarla, non ha mai risposto. Le ho mandato un messaggio: *Rispondimi per favore.*

Poi un pensiero mi ha gelato il sangue. Mi sono alzato di scatto e sono andato in camera da letto per vedere se c'erano ancora i suoi vestiti nell'armadio.

Nove

«Se esistesse la macchina del tempo adesso vorrei tornare a quella cena e infilarmi un tovagliolo in bocca, cazzo» mi ha detto Mauro la sera in cui Sofia se n'è andata. Non ero incazzato con lui, non lo aveva fatto di proposito, Mauro si farebbe torturare piuttosto che svelare un mio segreto.

Non volevo vivere senza di lei, non volevo tornare alla vita di prima. Volevo stare con lei, ce l'eravamo promesso, non poteva lasciarmi così. Era una cosa successa più di due anni prima, era passato del tempo, a me sembrava addirittura un'altra vita.

Dopo aver letto il suo biglietto sono andato in camera e ho aperto l'armadio, tutto era lì, i vestiti, le camicie, la gonna preferita.

Non riuscivo a interpretare il biglietto, non riuscivo a capire se era andata dai suoi qualche giorno o se invece se n'era proprio andata per sempre. Le sue cose erano in casa ma non significava nulla, non poteva certo traslocare da sola in un pomeriggio. Avevo paura che mi mandasse un messaggio o che mi telefonasse per dirmi che sarebbe venuta a prendere la sua roba appena possibile.

Sono rimasto seduto sul bordo del letto e mi sono concesso un lungo silenzio per poter pensare a tutte le ipotesi, ma senza cavarne nulla.

Ho continuato a chiamarla e ho deciso che avrei preso la macchina e sarei andato a Bologna, non potevo aspettare il giorno dopo. Ho fatto il numero di Elisabetta: «L'hai sentita? È lì con te?».

«No, sono fuori con altra gente, comunque l'ho sentita sia oggi quando era in treno sia un'oretta fa. Ci è rimasta veramente male.»

«Sono un coglione ma è successo tutto più di due anni fa, non me lo ricordavo nemmeno. È una cosa che non rifarei mai adesso.»

«Gliel'ho detto, lo sa anche lei, la conosco, non è stupida, solo non se l'aspettava.»

«Ti ha detto quando torna?»

«Probabilmente non lo sa neanche lei.»

«Sto per prendere la macchina e venire lì.»

«Non fare cazzate. Lasciala stare, se vieni peggiori la situazione. Domani la vedo e cerco di farla ragionare. Hai fatto una cazzata e sei un coglione ma anche se sono una sua amica tifo per voi. Se domani non ti risponde, ti chiamo io, ok?»

«Grazie.»

Ho passato delle ore tremende, non riuscivo a stare a casa solo, Mauro è stato la mia ancora di salvezza.

«Forse sarei dovuto andare da lei e non ascoltare Elisabetta.»

«Invece ha ragione, è la cosa più difficile al mondo ma è quello che devi fare ora.»

«Cosa?»

«Aspettare. Devi aspettare e smetterla di mandare messaggi o chiamare.»

«Sto andando fuori di testa.»

«Proviamo a non pensarci per qualche minuto. Dove andresti con la macchina del tempo? E non vale dire in vacanza in Grecia per non scoparti la danese.»

«Non ho voglia di giocare.»

«Inizio io» ha detto ignorandomi. «Tornerei indietro per scrivere i capolavori della musica.»

«Il testo però, perché non sai suonare niente.»

«Li canticchierei. Forse dovrei imparare prima uno strumento tipo la chitarra e poi viaggiare nel tempo. Potrei anche inventare io la chitarra.»

Di solito ridevo alle sue stronzate, non quella sera. Sono tornato a casa e mi sono seduto sul letto a guardare i vestiti appesi. Mauro non mi era stato di sollievo, stavo ancora male.

A una certa ora mi sono addormentato.

Al mattino ho trovato un messaggio sul cellulare: *Lo so.*

L'ultimo messaggio che le avevo scritto finiva così: *Non volevo farti stare male.*

Mi sembrava una sorta di tregua. Non aveva buttato via tutto, era onesta nel suo dolore.

Le ho scritto: *Possiamo sentirci?*

Dopo mezzora mi ha risposto: *Non sto cercando di vendicarmi. Ho solo bisogno di stare sola. Immagino quello che vuoi dirmi, non mi va di sentirlo ora. Ti chiamo io.*

Non mi ha fatto aspettare molto, nel pomeriggio mi ha chiamato.

Quando ho visto il suo nome sul display sono corso in bagno e mi sono chiuso dentro.

«Ciao.» Non sono riuscito a dire altro. C'è stato un silenzio, avrei dovuto chiederle come stava ma non me la sentivo. Abbiamo iniziato una conversazione fatta di parole che non c'entravano nulla.

«Stai lavorando?» mi ha chiesto.

«Sì, tu dove sei?»

«Dai miei.»

«Come stanno?»

«Bene.»

«Salutameli.»

«Certo.» E poi ancora un silenzio. Ho capito che toccava a me.

«Mi dispiace Sofia, davvero. Non mi aspettavo di trovarmi in una situazione del genere con te, non ci pensavo più, non era una cosa che tentavo di tenerti nascosta. Non sto cercando di scappare dalle mie responsabilità. È una cosa che non farei mai adesso, voglio stare con te tutta la vita, il resto non mi interessa.»

«Le altre donne, vuoi dire?»

«Sì, le altre donne ma anche le altre cose, tutto quello che non è *noi due* non mi interessa più.» Dopo qualche istante lei ha chiesto: «Mi hai telefonato anche quella sera?».

Non sapevo cosa rispondere. «Non me lo ricordo.»

Il silenzio era sempre più pesante. «Sì, ti ho chiamato anche quella sera.»

«Mi hai chiamato con lei lì vicino?»

«Non abbiamo dormito insieme. Non è stata una cosa che ho cercato.»

«Sei un ragazzo fortunato, pensa, ti *succede* di scopare.»

Non ho risposto.

«Te l'ho anche chiesto quando sei tornato e tu mi hai detto di no. Sei bravo a mentire.»

Continuavo a incassare in silenzio, era meglio di qualsiasi parola avrei potuto dire.

«Sai qual è la cosa che mi ha fatto male? Scoprire che sei capace di questo, di fare una cosa così e di mentire senza pudore. Non so chi sei e non sono più sicura di noi.»

«Hai ragione, ma non buttare via tutto per un mio errore.»

«Adesso devo andare.»

Sono rimasto con il telefono in mano seduto sulla tazza del bagno almeno una mezzora. Poi sono tornato al lavoro, ma il cervello non mi funzionava.

Ho iniziato a pensare che la sua reazione fosse eccessiva, esagerata. Tentavo di trovare in lei qualcosa di sbagliato. La verità era che mi sentivo stupido per quello che avevo fatto.

Non l'ho sentita per due giorni. Cercavo di non insistere, volevo che capisse che ero disposto a lasciarle tutto il tempo e lo spazio di cui aveva bisogno.

Il terzo giorno mi ha chiamato, ricordo l'agitazione nel rispondere come se fossi in attesa di una sentenza.

«Come stai?» le ho chiesto.

«Meglio.»

«Quando torni?» Volevo conoscere subito il verdetto. Sono passati solo pochi secondi ma mi sono sembrati una vita intera.

«Dopodomani.»

Il cuore mi si è gonfiato così tanto che mi è andato in gola.

Ero felicissimo, di una felicità concreta, densa, reale, una sostanza che mi attraversava il corpo.

Ci siamo detti ancora qualche parola e quando ho riattaccato ho mandato un messaggio a Elisabetta: *Grazie, ti devo molto. Ti devo tutto.*

Non vedevo l'ora che tornasse, non vedevo l'ora di fare l'amore con lei con la bella sensazione che custodivo. Non averla persa mi rendeva l'uomo più felice del pianeta.

Il giorno del suo ritorno mi ha chiamato e mi ha detto che sarebbe rimasta ancora dai suoi. Era di nuovo fredda: «È successo qualcosa a casa?».

«No, stanno tutti benissimo. Ritardo solo di un giorno. Ci vediamo domani.»

Non capivo, ero certo mi avesse perdonato e invece era di nuovo distante. Continuavo a fare ipotesi assurde nel tentativo di trovare un motivo. Sono andato sulla sua pagina Facebook e su quella delle amiche. Avevo bisogno di capire, cercare indizi se mai ce ne fossero stati.

Sulla pagina di Elisabetta ho visto una foto della sera prima, erano a cena in un ristorante, c'era anche Sofia.

Aveva un'espressione normale, non si capiva se si stesse divertendo, nel vedere la foto mi si è bloccato il respiro: seduto di fianco a Sofia c'era il suo ex, le cingeva la vita con un braccio.

Perché non me lo aveva detto? Non ero geloso del suo ex, l'avevo anche incontrato un paio di volte ma in quei giorni la situazione tra di noi era particolare, delicata.

Forse si era sentita in diritto di ripagarmi con la stessa moneta. Forse al telefono era stata fredda perché si era pentita del suo gesto, stava male e non sapeva come dirmelo.

Camminavo per casa passandomi la mano sulla faccia e sulla testa, tornavo alla foto e la controllavo come un detective in cerca di piccoli dettagli. Ho guardato la pagina Facebook di tutte le persone della cena, non c'erano altre foto.

Mi sono sentito un vero sfigato, a stare lì davanti al computer a guardare Facebook e sentirmi così male. Fanculo Zuckerberg.

Nelle telefonate successive non ho detto nulla, mi vergognavo a dirle che avevo cercato sue foto su Facebook.

Lei continuava a essere strana. *Vediamo come va a finire questa cosa*, mi ripetevo.

La mattina in cui è tornata a casa, ero al lavoro. Ci siamo visti la sera, sono entrato e lei era in camera da letto. L'ho abbracciata e ho sentito che sarei potuto scoppiare a piangere.

«Mi sei mancata.»

Non ha risposto, sembrava stesse recitando una certa normalità.

«Ho preparato delle verdure e ho preso il pollo arrosto in gastronomia» ha detto con voce pacata.

«Perfetto.» Sono andato a togliermi la giacca e lei si è seduta sul divano. Una volta tornato mi ha detto: «Devo dirti una cosa». Ero paralizzato, non voleva lasciarmi per telefono ed era tornata solo per farlo di persona. Sono rimasto in piedi di fronte a lei.

«Siediti.»

Ho agito come un automa e ho preso una sedia.

«Volevo chiederti scusa per essermene andata così lasciandoti un biglietto, avrei potuto per lo meno telefonarti, ma in quel momento non ero lucida come lo sono ora.»

Rispondevo col silenzio, stavo aspettando che sferrasse il colpo. Lei ha proseguito: «Mi ha fatto bene questa distanza, ho capito delle cose».

Non sapevo se mi stava lasciando, ho sentito il desiderio forte di abbracciarla e l'ho fatto. Con la bocca contro il suo collo che soffocava le parole, ho detto: «Non te ne andare».

Non rispondeva, le ho dato mille piccoli baci sulla bocca. Avevo un nodo in gola, ho sentito le lacrime riempirmi gli occhi.

L'ho guardata e anche lei piangeva, in quel momento mi ha detto: «Nicola, sono incinta».

Dieci

Solo un minuto prima ero convinto di perderla e un secondo dopo stavo diventando padre.

Sono rimasto bloccato, immobile, pietrificato, e c'è voluto un po' prima che riuscissi a dire qualcosa.

«Quando lo hai scoperto?»

«Due giorni fa. Volevo dirtelo di persona, volevo vedere la tua faccia.»

Sono rimasto ancora in silenzio.

«E com'è la mia faccia?»

«Non mi sembri molto contento.»

«Sono sorpreso.»

«Lo sapevamo che poteva succedere.»

«Sì, ma sono un po' sotto shock.»

Sono rimasto ancora qualche secondo immobile e poi l'ho abbracciata. Non ero felice, nemmeno triste o preoccupato. Non sentivo nulla.

Quando me lo ha detto è stato come se fino a quel momento avessimo giocato a fare gli adulti, a fare gli innamorati che desiderano un figlio, mentre da adesso non si scherzava più. Adesso era reale, era vero, adesso c'eravamo dentro fino al collo.

Con Sofia ho recuperato, prima con un abbraccio poi

con dei baci e poi con mille domande piene di entusiasmo. Anche se le dicevo di essere felice ogni tanto durante la serata cadevo in lunghi silenzi.

«A chi lo diciamo?» ho chiesto a Sofia.

«Fino a che non supero il terzo mese meglio non dirlo a nessuno, o comunque a poche persone.»

«Io lo dico a Mauro e Sergio. Tu a chi lo dici? Ai tuoi?»

«Sei matto? No, nemmeno a mia madre. Solo a Elisabetta.»

A pensarci adesso non era affatto strano aver preferito gli amici alle nostre famiglie.

Elisabetta si era praticamente messa a piangere, era felicissima, sembrava fosse lei quella incinta. Il primo sabato libero era già a Milano a trovare Sofia.

Quando l'ho detto a Mauro mi ha risposto: «Fine, sei fottuto. Vediamoci per una birra appena puoi che brindiamo. Sono felice per te. È una grande cosa. Bravo».

Le paure e le ansie se ne sono andate lasciando spazio a un sentimento nuovo. Ero contento ma c'era voluta almeno una settimana per digerire la notizia.

Una sera, mentre a letto eravamo stretti in un abbraccio silenzioso, di quelli che ti permettono di andartene nei tuoi pensieri da solo senza esserlo veramente, Sofia mi ha detto: «E con la casa come facciamo? Qui in tre non ci stiamo».

Ho sentito una fitta improvvisa al petto. Come avevo fatto a non pensarci prima? Forse una parte di me non voleva affrontare la cosa. Dovevamo lasciare la mansarda e la zona. Non ci saremmo mai potuti permettere una casa più grande in quel quartiere.

La mansarda era nel centro storico, zona pedonale. La finestra della camera da letto dava su una piazza con una piccola fontana. Il suono dell'acqua aveva accompagnato quegli anni meravigliosi.

Ero legato al quartiere, quando tornavo a casa e giravo l'angolo vedevo la luce accesa della gastronomia, i salami appesi, le forme di parmigiano, i vassoi di ravioli. Il fruttivendolo, la panettiera e il ragazzo del negozio di scarpe mi conoscevano per nome.

Ero andato a vivere nella mansarda quando avevo più o meno trent'anni.

Una sera a cena mio padre se n'era uscito con una proposta: «Un mio amico ha sistemato una mansarda per la figlia, ma lei si è trasferita in un'altra città col fidanzato. Adesso vuole venderla. Ho pensato che potresti comprarla tu».

«Con quali soldi?»

«Ti possiamo aiutare noi. Non possiamo pagarla tutta ma una buona parte.» Non ho risposto subito, sono rimasto in silenzio. Mio padre ha tirato fuori delle chiavi dalla tasca: «Possiamo andare a vederla quando vuoi, anche adesso» mi ha detto facendo tintinnare le chiavi.

Siamo andati insieme. In ascensore nessuno parlava, solo sorrisi d'attesa.

Mio padre è entrato per primo e ha acceso le luci. Quello che vedevo mi piaceva. Sembrava me la stesse vendendo: «Riscaldamento autonomo, qui ci sono le prese per l'aria condizionata se vorrai metterla, qui c'è il boiler, qui la cucina, manca solo il frigorifero».

Mia madre arredava già con oggetti e mobili che aveva a casa: «Qui ci puoi mettere la cassapanca della nonna, qui ci starebbe bene il tavolo che abbiamo portato in solaio, piatti e bicchieri te li do io che ho le credenze piene e mi fai un favore se li porti via».

Dopo un mese e mezzo abitavo lì. La mia prima casa da solo, il primo angolo di mondo tutto per me. Che libertà.

Le birre con gli amici, le serate sul divano a guardare film, le cene romantiche, le domeniche lente, quelle dove ti svegli tardi, distrutto dalla sbornia del sabato sera. Non c'è altro posto al mondo che contenga così tanti ricordi.

Avevo abitato lì circa dieci anni e adesso dovevo dirle addio.

Mi sentivo come se dovessi essere amputato, come se mi dovessi liberare di una parte del mio corpo.

Sergio una volta mi aveva detto che sarebbe stato solo l'inizio delle cose a cui avrei dovuto rinunciare, e tutto sommato non sarebbe stata nemmeno la più dura. «La tua vita di prima scordatela. Quello che vuoi tu non è più una priorità.»

Ero sicuro di ciò che stavo facendo, amavo Sofia ed ero eccitato all'idea di costruire una famiglia, ma allo stesso tempo mi sembrava troppo dover rinunciare alla mansarda. Non volevo andare fuori dal centro, a me piaceva vivere lì.

Sofia dava per scontato che l'avremmo venduta e aveva ragione, era logico. Quando ha capito che non ero sicuro di farlo si è spaventata come se non fossi convinto del passo che stavamo facendo. Ma non era così, o forse sì.

Forse non volevo lasciare la mansarda perché una parte di me pensava che se tutto fosse andato male sarei potuto tornare lì, nella mia vecchia vita, come se Sofia fosse stata solo una parentesi. Mio figlio sarebbe venuto da me nei weekend e in due ci saremmo stati alla grande. Io e lui il sabato sera sul mio vecchio divano a mangiare pizza e bere Coca. Quando sarei diventato vecchio l'avrei lasciata a lui. Il giorno che è venuto il ragazzo dell'agenzia per fare la valutazione abbiamo scoperto che avremmo perso dei soldi, il prezzo delle case era sceso nell'ultimo periodo. Invece di essere triste ero felice perché mi sembrava un'ottima scusa per non vendere. Era meglio aspettare che il mercato risalisse. Sofia aveva capito che stavo bluffando ma non aveva detto nulla, e mi aveva seguito nella scelta di affittare.

Nel frattempo cercavamo casa nuova.

Era divertente e romantico darsi appuntamento durante il giorno di fronte a dei portoni sconosciuti. Cercavo di arrivare sempre per primo perché mi piaceva vedere Sofia camminare verso di me. In quei giorni ho imparato quanto può essere struggente la bellezza che ti viene incontro.

E poi da quando era incinta aveva una luce nuova sul viso e negli occhi. Era eccitante salire le scale insieme o in ascensore con la speranza che quella fosse la volta buona. Ci abbiamo messo un po' a trovarla.

La sera prima di ogni appuntamento le dicevo: «Sento che domani ci siamo».

E un giorno è successo. Siamo entrati in un appartamento e ci è sembrato subito quello giusto, che potesse contenere i nostri sogni. Un appartamento vuoto che avremmo riempito con il nostro futuro.

Non potevamo avere dubbi su di noi, come potevamo averne? Il nostro futuro era così grande che per accoglierlo avevamo bisogno di più spazio. A noi il presente sembrava già tanto.

La cameretta di nostro figlio aveva perfino il pavimento in parquet.

Sofia aveva reso la mansarda più bella, ero certo che avrebbe trasformato anche l'appartamento in una casa calda e accogliente, per questo le ho lasciato massima libertà. Era in affitto e non avremmo dovuto fare molti lavori. Le mie uniche richieste sono state un materasso comodo, un tavolo spazioso in cucina, la rosa della doccia grande, un angolo per i dischi e i libri.

Il trasloco non è stato molto impegnativo, parecchie cose erano rimaste nella mansarda. Mi ha aiutato Mauro. Ogni volta che prendeva uno scatolone chiedeva: «Dove va? Cantina o casa? Sei sicuro che non stai arredando una stanzetta per te giù in cantina? È già il quinto scatolone che porto giù».

Tutto sembrava bello, anche farsi sfottere da lui.

Undici

Una domenica abbiamo invitato Mauro a pranzo da noi.

Sofia è uscita a comprare dei cuscini per il divano nuovo, noi siamo rimasti a casa a cucinare. Mauro si è presentato con un maglione inguardabile.

«Ma dove lo hai preso? È bruttissimo e non c'entra niente con te.»

«Ce l'ho da un sacco di anni, l'ho ritrovato in una scatola che avevo nascosto nell'armadio.»

«Mi sa che dovevi nasconderla meglio.»

«È vintage.»

«C'è un limite anche al vintage, mia madre era ancora vergine quando andavano di moda questi colori. Cos'è, un senape?»

«Antico, senape antico.»

«Non esiste neanche il senape antico, te lo stai inventando adesso.»

«Lasciami stare, non sono giornate facili per me.»

«Sempre per quella ragazza? Come si chiama?»

«Erica.»

Da qualche giorno Mauro cercava di dire a una con cui stava uscendo che non dovevano più vedersi. Ogni volta non riusciva a farlo.

«Vi siete visti ieri sera?»

«Sì, è venuta da me.»

«E?»

«Niente, non ce l'ho fatta. L'ho chiamata nel pomeriggio e le ho detto che dovevamo parlare. Poi ieri sera quando è venuta da me era vestita in un modo che non ti dico. Aveva una gonna e un toppettino che appena l'ho vista mi sono dovuto sedere sul divano. Ha il culo più bello del pianeta. Un culo da cattiva azione.»

Sono scoppiato a ridere, come ogni volta in cui Mauro usava quell'espressione.

«È anche molto giovane se non sbaglio. Quanti anni ha?»

«È uno dei motivi per cui la devo mollare. Questa mattina mentre mi vestivo ho pensato che nel cassetto ho delle calze più vecchie di lei. Suo padre ha solo un anno più di me. Cambiamo discorso, avete già scelto il nome?» mi ha chiesto mentre mi aiutava a pulire l'insalata.

«Non ancora.»

«Chissà se anche tu dirai e farai le cose che fanno tutti quelli che diventano genitori.»

«Tipo?»

«Quelli che ti fanno vedere le foto del figlio anche se non glielo hai chiesto, che ti tengono aggiornato su tutti i suoi straordinari traguardi come stare seduto o bere dal biberon da solo.»

«Non credo, ma non si sa mai.»

«Quelli che ti dicono: "Finché non hai un figlio non puoi capire" o "È talmente bello che mi fermano per strada per farmi i complimenti", "Quando me l'hanno dato in braccio la prima volta ho riconosciuto qualcosa di famigliare, come se lo conoscessi già". Potrei andare avanti all'infinito ma mi sono già annoiato a sentirmi.»

«Stai così tanto da solo che, quando sei in compagnia, dalla gioia non stai zitto un attimo. Sei come i vecchi che attaccano bottone anche con la cassiera del supermercato.»

«Ieri mi sono fermato davanti alla vetrina di un negozio di vestiti per neonati e mi sono fatto delle domande.»

«Attenzione, sta succedendo qualcosa di incredibile.»

«Sai cosa mi sono chiesto?»

«Se la vita ha senso senza figli?»

«A cosa servono le tasche sui vestiti dei bambini?»

«Sei un cretino. Ora aiutami a spostare la cassapanca.»

«Non sono tanto sicuro che sia conveniente essere tuo amico. Dopo il caffè me ne vado, qui c'è mezza casa da montare.»

Non volevamo affrontare l'arrivo del bambino come un'amica di Sofia che al terzo mese di gravidanza aveva già tutto pronto, dipinto la stanzetta, comprato letto e fasciatoio, vestiti, teli, passeggino. Non sapevano ancora se era maschio o femmina, e il marito era andato in concessionaria a comprare una macchina più grande e più sicura. A me è sempre sembrata una cosa esagerata. Il figlio era una scusa per prendere un'auto più bella.

Ero stupito da quante cose servissero. Passeggiare nei negozi per neonati era un'esperienza nuova. Mi si apriva un mondo che non conoscevo e di cui non sapevo nulla. Non avevo nemmeno mai notato che nascosti nei sedili posteriori dell'auto c'erano due piccoli ganci per il seggiolino dei bambini. Eppure erano sempre stati lì.

Un giorno mentre bevevo il caffè in un bar è entrata una ragazza con un bambino nel passeggino. Era molto carina, avevo sempre avuto un debole per le mamme. Quel giorno mi sono ritrovato a controllare il passeggino, il colore, le ruote, l'impugnatura. Cercavo di capire se fosse facile da ripiegare e da manovrare.

Quando ero con Sofia mi capitava di commentarli come avevo sempre fatto con le moto insieme agli amici.

Nel momento in cui ho realizzato che stavo diventando padre mi sono sentito subito più maturo, più responsabile. È stupido ma è andata così.

Un giorno ho detto a Sofia: «Vorrei essere io a montare il lettino. Se vuoi puoi aiutarmi tu ma non voglio che lo faccia nessun operaio, nessuno sconosciuto. È una cosa nostra».

«Sono contenta se lo fai tu.»

È stata una bella sensazione, Sofia in giro per casa a sistemare e io a montare.

Mentre trafficavo con viti e brugole è entrata in cameretta con una tazzina in mano: «Vuoi un po' di caffè?».

«Grazie.» Mi sono appoggiato al muro e l'ho bevuto. Sofia mi stava fissando.

«Che c'è?»

«Niente, pensavo che sei molto sexy quando bevi il caffè.» Si è avvicinata, mi ha messo le braccia intorno al collo e mi ha dato un bacio.

Era bello fare l'amore in quel periodo, ogni giorno Sofia sembrava diversa, e non solo fisicamente, anche se era la cosa che si notava di più.

Aveva il seno più grosso e i capezzoli cambiavano colore. Mi è sempre piaciuto il suo seno, in quel periodo era irresistibile, anche se dovevo stare più attento a toccarlo perché era molto sensibile e le faceva male. Da quando era rimasta incinta aveva sviluppato un olfatto incredibile, una specie di superpotere. Riusciva a sentire odori lontanissimi, come i cani poliziotto in aeroporto.

Molti non li sopportava, le davano nausea, soprattutto i profumi che le persone si spruzzavano addosso.

Aveva sempre amato le verdure, ma in quel periodo solo a sentirne l'odore stava male.

Quando uscivamo a fare una passeggiata aveva bisogno di andare in bagno a fare la pipì ogni mezzora.

Gli ormoni facevano la loro parte, c'erano momenti in cui le veniva da piangere anche solo nel vedere una fotografia su un giornale oppure al contrario poteva rispondermi in maniera aggressiva senza motivo.

Finalmente abbiamo superato il terzo mese, potevamo dirlo. Anche perché ormai non era più possibile aspettare: avevamo cambiato casa e ci comportavamo in maniera diversa.

Un giorno abbiamo invitato i suoi genitori a pranzo, è venuta solo la madre, il padre aveva un impegno con dei vecchi amici. Ho cucinato io, più che altro per essere impegnato in qualcosa e non doverla intrattenere.

Era un sabato e non avevo la scusa del lavoro.

Mentre sua madre era seduta sul divano Sofia mi ha chiamato. Mi sono presentato con il cucchiaio di legno in una mano e un bicchiere di vino rosso nell'altra.

«Mamma, dobbiamo dirti una cosa.»

«Vi sposate?»

«No, mamma, non ci sposiamo.»

A quel punto ha capito subito.

«Sei incinta?»

Sofia ha sorriso.

Sua madre si è alzata dal divano e l'ha travolta con un abbraccio. Poi mi ha preso per il gomito e mi ha tirato a loro. Quando mi ha lasciato libero aveva gli occhi lucidi: «Da quando? Sapete già se è maschio o femmina? Avete scelto il nome? Secondo me è una bambina».

Un'altra cosa che avevamo imparato in quel periodo era quanta gente crede di essere veggente. I primi mesi si presentano quelli che se lo sentono, più avanti, mentre la pancia si fa sempre più visibile, si fanno avanti quelli che lo capiscono dalla forma.

La sera, quando l'abbiamo accompagnata in stazione, ci ha salutato facendoci i complimenti come se per fare un figlio ci volesse qualche straordinario talento.

«E una è fatta» ho detto a Sofia. «Adesso tocca all'altra nonna.»

Il giorno dopo siamo andati a pranzo da mia madre.

Non glielo abbiamo detto subito, abbiamo aspettato.

Mia madre aveva un regalo per Sofia, una pura coincidenza.

«Sono entrata in un negozio e quando ho visto il maglioncino ho pensato subito a te. Ti piace?»

«È bellissimo, non dovevi.» Con fatica Sofia ha imparato a dare del tu a mia madre.

A tavola mentre stavamo pranzando Sofia mi ha guardato con impazienza. Mia madre si è accorta.

«Non ti piacciono le tagliatelle? Forse nel sugo ho messo troppa cipolla.»

«Sono buonissime, Angela.»

«Mamma, sei pronta a diventare nonna?»

Lei ha guardato Sofia poi si è voltata verso di me e poi ancora verso Sofia.

«Mi state facendo uno scherzo?»

«No.»

«Sei incinta?» rivolta a lei.

«Da qualche mese.»

«Ommadonnamiasignore! Vieni qui, fatti abbracciare, ma non si vede niente, sei così magra. Come sono felice.»

«E a me non mi abbracci?»

«Ma certo, non me l'aspettavo proprio.»

«Non te lo aspettavi più, di' la verità.»

«Sì, ecco, come sono felice per voi, bravi bravi bravi.»

Prima di andare via mia madre ha detto: «Pensa che qualche settimana fa lo stavo proprio chiedendo a tuo padre. Ma farò in tempo a diventare nonna?».

Anche se mio padre è morto lei dice che la sera a letto si parlano ancora, o meglio, quella che parla è lei, dice che lui la ascolta e ogni tanto le risponde.

Ne ho parlato una sera con Sofia. «Lasciale questa cosa, lasciala libera anche di parlarne se se la sente. Ognuno di noi ha il suo angolo che gli altri non devono per forza capire.»

«E lui ti ha risposto?» ho chiesto a mia madre.

«Certo che mi ha risposto. Mi ha detto di stare tranquilla. E infatti aveva ragione.»

A parte il fatto che i nostri amici con figli si divertivano a terrorizzarci e che le nonne avevano intensificato le telefonate, per il resto tutto sembrava scorrere con serenità.

Le persone erano più gentili con noi, soprattutto con lei, volevano toccarle la pancia come se fosse un oracolo o un portafortuna. Tutto il mondo sembrava contento di noi e di quello che stavamo facendo, la cosa giusta per tutti. E per la verità c'era anche chi ci stava invidiando. Noi eravamo soltanto eccitati per quello che stavamo vivendo.

Ricordo il giorno in cui l'ho accompagnata alla visita e ho visto per la prima volta nostro figlio, ho sentito il cuore. Ci siamo guardati, le tenevo la mano e ci siamo sorrisi. Tutto stava andando bene.

Dopo la visita siamo andati in un bar, eravamo invasi da qualcosa di bello che al tempo stesso ci faceva paura. Tutto era nuovo, anche le emozioni contrastanti facevano parte delle nostre giornate.

Al tavolo accanto c'era una coppia con un bambino, aveva circa tre anni. Mentre loro parlavano lui giocava con un iPad. Io e Sofia ci siamo guardati e ci siamo detti che nostro figlio non avrebbe mai usato telefono o tablet.

Al quinto mese abbiamo saputo che era maschio.

Cercavamo di immaginarlo, eravamo curiosi di sapere che faccia avesse, a volte ci sembrava di dover aspettare troppo, lo avremmo voluto già lì con noi.

Dovevamo scegliere il nome. Ogni ipotesi ce lo faceva immaginare diverso, il nome portava con sé un tipo di persona, una fisionomia. E poi era associato a qualcuno che conoscevamo e quasi sempre non ci piaceva, avevamo paura che finisse per assomigliargli. Per qualche assurda ragione avevamo l'idea che se avessimo dato un nome figo a nostro figlio sarebbe stato figo anche lui.

Alla fine Leo piaceva a tutti e due, è stata lei a metterlo nella lista. E con quella nuova felicità siamo partiti per delle vacanze che quell'anno sono state brevissime – dovevamo risparmiare, ci eravamo detti.

Ma questo non ci pesava. Cercavamo di sostenerci a vicenda, rassicurarci, sentivamo di non essere più soli, avevamo la certezza che se uno di noi avesse allungato la mano avrebbe trovato quella dell'altro e così sarebbe stato per sempre. Io e Sofia avevamo imparato a conoscere una nuova intimità.

Verso gli ultimi mesi era diventata gelosa, ogni tanto mi diceva che aveva paura che in quel periodo l'avrei tradita. A me sembrava una cosa così assurda, non capivo fosse seria.

«Anche se sto diventando una balena promettimi che non lo farai.»

Una sera stavamo guardando un film, il protagonista era al telefono con la moglie mentre nel letto c'era una donna con cui aveva appena finito di fare l'amore. Sofia all'improvviso mi ha detto: «Sta facendo come te in Grecia. Chissà se le dice anche che le manca».

La cosa mi ha sorpreso così tanto che non ho saputo rispondere. Probabilmente il mio silenzio l'ha indispettita ancora di più.

«Lo sai che se non fossi stata incinta forse me ne sarei andata? Ogni tanto mi torna ancora in mente, sei stato proprio uno stronzo.»

Sapevo che erano gli ormoni a parlare e non lei, ma mi sembrava che le sue parole fossero troppo pesanti. Ho preso il telecomando e ho messo il film in pausa.

«Vuoi dirmi che stiamo insieme perché sei rimasta incinta?»

«Non lo so, so solo che ci avevo pensato ad andarmene ma poi quando ho scoperto di essere incinta ho cancellato quel pensiero. Chi può dirlo come sarebbe andata altrimenti.»

«Senti Sofia, credo di essermi scusato un milione di volte e se vuoi lo faccio ancora. Poi però questa storia deve finire. Bisogna che cerchi di capire se sei in grado di perdonarmi una volta per tutte. Non posso pagare per il resto della mia vita.»

Credo non si aspettasse quella reazione, era la prima volta che mi difendevo e non chiedevo solo scusa.

Mi ha guardato in silenzio, poi mi ha detto: «Hai ragione». Ha preso il telecomando e ha rimesso in play. Durante il film la tensione è svanita, siamo stati bravi a non continuare il litigio nelle nostre teste.

A letto a luce spenta mi ha detto: «Scusami per prima, non lo faccio apposta, solo che quando mi viene in mente non riesco a controllarmi. Mi fa male pensare che sei stato con un'altra, continuano a venirmi in mente immagini di te e lei».

Ho acceso la luce della mia abat-jour e mi sono accorto che aveva gli occhi lucidi.

«Non ti tradirò mai Sofia, è una promessa.» E l'ho abbracciata. Ci siamo baciati. In quel momento ho provato un sentimento che non sapevo nemmeno di poter provare. Abbiamo fatto l'amore, in maniera delicata, dolce, lenta. La sua pancia enorme ci teneva distanti mentre non eravamo mai stati così vicini prima.

Più passava il tempo più Sofia arrivava stanca a fine giornata. Era bello stare a letto al buio abbracciati a chiacchierare e confortarci a vicenda. Eravamo molto onesti l'uno con l'altra, cercavamo di non nasconderci nulla e di condividere tutto, anche le paure, soprattutto lei: «Mi chiedo se sto facendo le cose giuste, se sto mangiando bene. Ho voglia di mangiare schifezze. Sarò in grado di partorire senza problemi? E se non reggo al dolore? Magari non sono forte abbastanza e poi ho paura che non sarò una brava mamma. Sarò capace di prendermi cura di un'altra persona?». A volte piangeva e io la rassicuravo: «Sarai una madre bravissima, premurosa, e stai facendo tutto bene, l'ha detto anche il dottore: i valori del sangue sono praticamente perfetti. E poi non sei da sola, ci sono io, ci aiuteremo a vicenda».

«Stai leggendo quel libro che ti ho dato?»

«L'ho sfogliato e lo comincio domani.» Non era vero ma lei voleva che leggessi un libro che insegnava al papà come comportarsi con il neonato. A me sembravano cose moderne un po' ridicole, pensavo a mio padre, a mio nonno, alla storia del mondo. Tutti erano venuti alla luce senza bisogno di libri. Ogni settimana Sofia leggeva su internet quello che stava succedendo dentro la sua pancia. Mi faceva impressione quando sentivo che in quel momento si stavano formando gli organi, le unghie, gli occhi. Non ci trovavo nulla di romantico. Lei vedeva che non prestavo attenzione e mi rinfacciava di non essere coinvolto.

Un sabato pomeriggio siamo andati a un incontro dove c'erano altre coppie come noi, per imparare cosa fare in sala parto. Se avessi potuto scegliere non ci sarei andato ma tutto sembrava di fondamentale importanza. Lei era molto sensibile e se non fossi andato sarebbe stato come abbandonarla al casello dell'autostrada. Guardavo le facce degli altri futuri papà e posso dire con certezza che nessuno di loro era contento di essere lì.

Ero convinto che mi sarei trovato seduto dietro un banco come a scuola, invece la stanza era piena di tappetini e cuscini.

Le mie ginocchia si sarebbero anchilosate all'istante, una tortura.

La responsabile dell'incontro, una maestra di yoga, era una ragazza magra con i capelli lunghi vestita come la seguace di un guru indiano. Per prima cosa ci ha consegnato dei foglietti su cui scrivere le nostre paure. Sarebbe passata a ritirarli e in maniera assolutamente anonima li avrebbe letti ad alta voce.

Non sapevo cosa scrivere e siccome stava già passando a ritirare i foglietti ho scritto velocemente: «Ho paura che nasca senza occhi».

Non era vero, ma la cosa strana è che ho iniziato ad averla dal momento in cui l'ho scritto.

Siamo rimasti a sentire le paure di tutti poi siamo passati alla parte pratica, come massaggiare la schiena quando fossero iniziate le contrazioni, cosa fare in sala parto, il respiro e la giusta posizione.

Tutto molto interessante se non fosse che quel weekend Mauro mi aveva invitato in montagna da lui per festeggiare il suo compleanno. E avrei voluto veramente esserci.

In macchina, mentre tornavamo a casa, Sofia ha detto: «Mi sento una balena, forse sono ingrassata troppo».

«È normale, sei incinta.» Mi sono accorto subito di aver sbagliato risposta. Eppure Sergio mi aveva avvertito, le donne, anche se incinte, non vogliono sentirsi dire di essere grasse. Mi aveva anche suggerito la risposta giusta: «Non sei grassa, anzi a parte un po' la pancia sei uguale a prima. Culo, fianchi e gambe sono quelli di una donna non incinta».

E alla fine il giorno è arrivato. Ero al lavoro e Sofia mi ha chiamato al telefono, nel vedere il suo nome ho avuto la sensazione di sapere già cosa volesse: «Nicola, credo che questa volta ci siamo».

Mi sono sentito debole, mi tremavano le gambe. Sono uscito dall'ufficio di corsa, dimenticando prima la giacca poi dove avevo parcheggiato. Quando ho trovato la macchina mi sono accorto di aver lasciato le chiavi sulla scrivania.

Mentre guidavo mi ripetevo: *Sto diventando papà, sto diventando papà*. Appena ho visto Sofia mi sono commosso, il suo viso era diverso, un'espressione che non conoscevo. Le ho massaggiato la schiena come mi avevano insegnato al corso.

In sala parto, vestito con un camice verde e una cuffia in testa, mi sono sistemato al suo fianco e sono rimasto in quella posizione fino alla nascita di Leo. Ero scomodo ma non me la sono sentita di dire nulla, visto il dolore che stava provando lei. Sarebbe stato inadeguato lamentarmi per il mal di schiena mentre lei strillava e tentava involontariamente di disintegrare la mia mano stringendola con una forza sovrumana.

Ho avuto segni e graffi per giorni.

Le tenevo un braccio attorno al collo, la fronte contro la sua testa. Restavo quasi sempre in silenzio, aveva solo bisogno di sapere che fossi lì, non certo di sentirsi dire come nei film: «Spingi, spingi». Mi avrebbe dato un pugno.

Leo l'ho visto uscire. Ho visto la testa fare capolino e non avevo nemmeno capito che cosa fosse. L'ho realizzato quando è spuntato un orecchio. Dopo qualche secondo è uscito tutto.

Si dice che quando ti nasce un figlio una parte di te in quell'istante muore. E così è stato. Da quel momento io e Sofia non siamo più stati gli stessi, né come individui, né come coppia.

Dodici

Quando Sofia ha finito di allattare Leo, li ho salutati e sono tornato a casa. Ho passeggiato un po' per Milano. Era una bella serata d'autunno, avrei voluto fumarmi una sigaretta, ma non fumavo da oltre dieci anni.

Ho un figlio, sono papà. Mi sembrava incredibile. Ricevevo messaggi da parte di persone che si congratulavano.

È squillato il telefono, era Mauro: «Dove sei?».

«Sto facendo una passeggiata, ho appena lasciato l'ospedale.»

«Vuoi goderti questo momento da solo o ci beviamo una cosa?»

«Ti aspetto in Porta Romana.» Dopo dieci minuti è arrivato in scooter, mi ha allungato un casco e siamo andati in un pub.

«Allora, come ci si sente?»

«Credo che la parola giusta sia "confusi".»

«Fammi vedere qualche foto dell'infante.»

Sono sempre stato convinto che i bambini appena nati sono belli solo agli occhi dei genitori. Nessun altro dovrebbe essere autorizzato a vederli.

«Eccolo.»

«Sono dei mostriciattoli, ma è il loro bello, con tutte quelle pieghe strane.»

Era stato onesto. «Com'è stato il parto? L'hai visto uscire?» mi ha chiesto poi.

«Ho visto tutto.»

«Tu sei matto, io non potrei mai farlo. Quel posto deve rimanere un incanto per me, accogliente, silenzioso. Non potrei vederlo mentre si sventra e ne esce una creatura che grida. È un film dell'orrore.»

Sorridevo.

«È come portare un bambino al luna park dopo un massacro di massa.»

«Ammazza che immagine.»

«Pensi che riuscirai ancora a fare l'amore con lei? Lo sai che ci sono uomini che dopo il parto hanno chiuso con la propria compagna?»

«Pensa, in sala parto mentre la stringevo e lei gridava sofferente a dei livelli mai visti, mi sono eccitato.»

«Ti sei eccitato?»

«Sì, ce l'ho avuto duro per un po'.»

«Sei malato.»

«Mi sono stupito anche io.»

«Io non ci entro sicuro in sala parto.»

«Hai deciso di avere dei figli?»

«Noooo.» E si è messo a ridere.

Abbiamo bevuto qualche birra, quando sono tornato a casa ero un po' brillo.

«Ciao vecchio» mi ha detto Mauro prima che entrassi nel portone.

Giravo per casa, era strano vedere il lettino vuoto, ho cercato di godermi la solitudine ma in realtà avrei voluto fossero già lì con me, mi sentivo solo in una maniera nuova.

Il giorno dopo la stanza d'ospedale era piena di

amici e parenti, le amiche da Bologna, i nostri genitori, che finalmente si sono conosciuti, e gente che adesso non ricordo.

Per un paio di giorni c'è stato un bel movimento di visite poi per fortuna è arrivata la calma. Tornati a casa, abbiamo chiuso la porta, finalmente eravamo noi soli.

Tutto era delicato. Parlavamo a voce bassa, Leo non faceva molto, mangiava, dormiva, riempiva i pannolini con cacca di strani colori. Cambiarlo era un'operazione che facevo in modo molto lento, non stava mai fermo e tutto in lui sembrava fragile, le gambe, le braccia, le mani.

Sofia allattava al seno, per un periodo aveva avuto paura che non le sarebbe venuto il latte, invece il seno le esplodeva. A volte gocciolava, tanto era pieno.

I primi giorni sembravano scorrere tranquillamente, non vedevo l'ora di tornare a casa dal lavoro, chiudere la porta e stare lì.

Quando entravo capitava che Sofia fosse stesa sul divano esausta. Cercavo di rendermi utile, tenevo Leo, lo aiutavo a digerire dopo la poppata, ma il più delle volte mi occupavo della casa, tenevo in ordine, preparavo da mangiare, facevo la spesa.

Mia madre aveva preparato zuppe, minestroni, sughi che avevamo messo nel freezer. Ed è stata una grande idea. Un paio di volte si era anche occupata di fare la lavatrice quando era venuta a trovare il nipotino.

Ho scoperto di essere molto premuroso verso Sofia e Leo. Ogni tanto mentre lui dormiva andavo a controllare che stesse ancora respirando.

Quando avevo tempo mi piaceva sdraiarmi sul divano e farlo dormire sul mio petto mentre leggevo un libro. La maggior parte delle volte mi addormentavo con lui.

Mi piaceva annusarlo: la testa, il collo, il respiro che usciva dalla bocca. Sapeva di burro, creava dipendenza. A volte mi avvicinavo così tanto che confondeva il mio naso con il seno della madre e iniziava a succhiare.

Io e Sofia ci ritrovavamo a ridere per ogni sua espressione, quando si stiracchiava, quando apriva gli occhi o muoveva la bocca. Eravamo del tutto rimbecilliti.

A volte mentre gli cambiavo il pannolino mi faceva la pipì addosso, faceva ridere.

Potevo fissarlo per ore, come succede col fuoco. Era ipnotico anche mentre stava dormendo. Lo guardavo e la mia testa si riempiva di mille pensieri.

Pensavo a lui, alla sua vita, a quello che lo attendeva.

Tutto nuovo: parlare, camminare, andare in bicicletta, il primo bacio, il primo amore, gli amici di scuola. Pensavo alla quantità di gioia di risate di felicità che lo stavano aspettando e anche alla quantità di dolore, di sofferenza e di lacrime. Ormai il mondo apparteneva più a lui che a me.

Non aveva nemmeno un mese e l'ho immaginato adulto che veniva a trovarci con la sua macchina, mi sembrava incredibile. L'idea che avrebbe avuto la sua vita e, come me, la voglia di andarsene dalla casa dei genitori.

Devo essere più gentile con mia madre, chiamarla più spesso, mi sono detto.

Quando lo guardavo dormire mi chiedevo se sarei stato un buon padre, se sarei stato capace di capirlo fino in fondo, capire i suoi bisogni, proteggerlo dalle paure e dai pericoli, proteggerlo soprattutto dai miei errori. La cosa che desidero di più in assoluto è non deluderlo.

Mi faceva ridere pensare che un giorno lo avrei sgridato.

Dopo la sua nascita ho visto un film e per la prima volta, in una scena con un padre e suo figlio, mi sono immedesimato nel padre.

Quando ti nasce un figlio smetti di cercare un padre. Almeno è quello che mi è successo. Andando a richiedere i documenti per Leo la signora allo sportello mi ha chiesto: «Lei è il papà?».

«Sì.»

«Bene, questo è il codice di suo figlio.»

Le parole «papà» e «suo figlio» prima sono suonate strane, poi mi hanno acceso il viso e sono stato invaso da una specie di orgoglio, avevo il petto gonfio di gioia, mi sembrava di aver fatto qualcosa nella vita, come se prima tutto fosse solo un gioco poco importante. *È questa la vita*, mi dicevo. E quando parlavo con persone senza figli avevo l'impressione che non fossero in grado di capire il senso delle cose. Con Leo, io e Sofia eravamo gelosi e protettivi, non ci piaceva darlo in braccio a tutti, amici e parenti, soprattutto se qualcuno aveva un profumo che gli sarebbe restato addosso tutto il giorno. Non era facile dire no, molti si risentivano.

Se qualcuno lo toccava sul viso o sulla bocca, mi infastidivo ma non sempre avevo la prontezza di bloccarli. Sofia era più brava, non si faceva problemi.

Succedevano cose di una bellezza commovente.

Una sera a cena Leo ha iniziato a piangere, Sofia lo ha attaccato al seno. Non avevamo ancora finito quello che c'era nel piatto, ho preso a imboccarla. È stato un momento di grande unione.

Ci stavamo prendendo cura a vicenda, eravamo una squadra, una banda, un nucleo.

Quando Leo dormiva andavamo sul divano finalmente soli e ci sembrava una minivacanza.

Avevamo imparato ad apprezzare i piccoli attimi di libertà.

Anche se la stanchezza ci avrebbe fatto andare a letto subito, abbiamo sempre scelto di conservare il nostro tempo.

Ritrovarci era fondamentale. Avevamo l'impressione di non esserci mai visti veramente durante il giorno, come se lì sul divano fosse la prima volta.

Col tempo le serate diventavano tutte uguali, all'inizio non sembrava un problema, il momento sul divano era una cosa a cui pensavamo come un carcerato pensa all'ora d'aria, un punto fermo a cui aggrapparsi.

Ci piaceva guardare le serie televisive, duravano il giusto, non saremmo mai riusciti a guardare un film intero senza addormentarci. Quando finiva una puntata ci scambiavamo un'occhiata per capire se avremmo avuto la forza di guardarne un'altra.

Per regalarci un piacere mangiucchiavamo qualcosa di dolce, cioccolata, biscotti, gelato. «Ce lo siamo meritato» amavamo ripeterci. In pochi mesi ero ingrassato di tre chili, non ne facevo un problema, ero felice.

Presto le cose hanno iniziato a cambiare. La delicatezza, la bellezza, la favola hanno lasciato spazio ad altro.

Quando la novità svanisce, quando l'entusiasmo se ne va, cominciano le difficoltà, se ne va la poesia e arriva la vita.

Il primo periodo è eccitante, anche quando gli cambi il pannolino e scopri che la cacca è arrivata fino al collo. Poi le giornate diventano un continuo ripetersi delle stesse cose, e lasciano poco spazio ad altro.

Un giorno Sofia mi ha detto: «Adesso capisco perché quando una persona ha un figlio parla solo di lui, perché non succede nient'altro. Non accade nulla, è sempre lo stesso giorno».

Tornavo a casa dal lavoro e le chiedevo come era andata ma non aveva mai nulla di diverso da dire se non quante volte Leo avesse fatto la cacca e quante ore avesse dormito.

Non eravamo preparati, nemmeno i libri che avevamo studiato con grande diligenza ci avevano aiutato.

L'idea che avevamo della vita che ci stava aspettando era completamente sbagliata. Pensavo che, al di là di un po' di confusione e del fatto che avremmo dormito meno, il resto sarebbe stato come prima, soprattutto il rapporto tra me e Sofia.

Quando gli amici ci terrorizzavano coi loro racconti, pensavamo sempre che per noi sarebbe stato diverso. Noi e i nostri figli non eravamo come loro. I nostri bambini non avrebbero gridato, si sarebbero comportati in maniera educata. Perché in fondo eravamo sempre noi due, più una piccola creatura da amare, un bambino che ci avrebbe reso felici solo a guardarlo.

Nessuno dei due poteva immaginare che, a un certo punto, girandoci verso l'altro ci saremmo trovati davanti un estraneo.

Tredici

I primi mesi Leo dormiva nel letto con noi, ma avevo paura che nel girarmi lo potessi schiacciare, così Sofia lo ha spostato sul lato esterno. Dormiva tra lei e un cuscino messo a protezione. Non lo vedevo più, vedevo la schiena e la nuca di Sofia, forse era già un primo segno. La sua schiena mi escludeva anche se eravamo tutti e due d'accordo che fosse la cosa migliore. Ogni due ore Leo si svegliava per mangiare, io riuscivo quasi subito a riaddormentarmi ma non stavamo comodi.

Sofia aveva deciso di tenere l'abat-jour accesa tutta la notte perché non riusciva ad allattare al buio. Io ho sempre avuto bisogno del buio per dormire e il compromesso era stato di mettere un pareo o una camicia sulla lampada, così da rendere la luce più tenue. Siccome non mi bastava in aggiunta prendevo una maglietta e mi coprivo gli occhi. Ogni volta che mi giravo o mi muovevo dovevo sistemarla. Un disastro. Oltre a questo Leo durante la notte faceva dei continui lamenti, dei suoni gutturali. Forse aria nello stomaco, forse coliche o altro, ma c'erano notti che non dormivo mai, e stavo in una sorta di limbo tra il sonno e la veglia. Al mattino ero intontito, non capivo nemmeno se avevo dormito o no. Ricordo una volta di aver guardato il telefono pensando fossero le due, e invece mancavano dieci minuti alle sette. Dopo un paio di mesi ero già distrutto e avevo la chiara sensazione che non avrei mai più recuperato quella stanchezza, perché non c'era un momento per staccare, non esistevano più i sabati e le domeniche. Tutti i giorni sono uguali per un neonato.

La stanchezza aveva peggiorato il mio russare, e quando Sofia finiva di allattare non riusciva più a addormentarsi, allora mi dava dei colpetti per farmi smettere e io mi svegliavo.

«Puoi anche fare più piano, senza per forza svegliarmi.»

«Non l'ho fatto apposta.»

In quel periodo ogni volta che mi svegliavo di notte venivo attaccato da mille pensieri, tutte le ansie, le paure, i problemi del lavoro entravano nella mia testa e non riuscivo più a riaddormentarmi. Potevo rimanere sveglio ore nel cuore della notte.

A colazione sembravamo fare a gara a chi aveva dormito meno.

«Sono rimasto sveglio fino alle tre.»

«Leo si è svegliato cinque volte e aveva qualcosa perché come lo rimettevo giù piangeva subito. Ho dovuto cambiarlo due volte.»

«Ho sentito. Quando mi hai svegliato perché russavo mi ero appena riaddormentato.»

«Mi spiace ma avevo paura che lo svegliassi, finalmente si era addormentato.»

Un giorno mi ha detto: «Perché non vai a dormire sul divano? Così non ti sveglio e tu non tieni sveglia me».

«Non è male come idea.» Non mi sarei dovuto svegliare ogni volta che lei allattava e potevo russare tranquillamente.

Tra l'altro il divano era comodo, ci dormivo bene. Mi pareva addirittura che starmene lì da solo fosse come stare in vacanza. Accendevo la televisione, tenevo il volume basso e mi addormentavo senza accorgermene. Mi capitava di svegliarmi la notte con i flash di luce in faccia.

L'esilio sul divano sembrava un'evoluzione, il gradino successivo di quando Sofia mi dava la schiena e teneva Leo dal suo lato.

Loro passavano tutto il giorno e la notte insieme, io di giorno lavoravo e la notte stavo sul divano. Ho iniziato a sentire che loro due stavano costruendo un rapporto intimo molto forte, e che io e lei ci stavamo allontanando. Anche io e Sofia eravamo meno coinvolti, come fossimo sconnessi. Non eravamo più la coppia che aveva desiderato un bambino, loro due – lei e Leo – erano una coppia e io una cosa che veniva dopo, un accessorio. Servivo solamente a fare la spesa, cucinare, stendere o a passare a lei tutto quello di cui aveva bisogno quando aveva Leo attaccato al seno: «Puoi passarmi la coperta?», «Riesci a prendermi la salviettina?», «Mi passi il telefono?», «Mi porti un paio di calze per Leo?».

Quando allattava aveva sempre sete, ormai le portavo l'acqua senza che me lo chiedesse.

Leo sembrava figlio suo, non nostro. Ha iniziato a chiedermi le cose in un modo diverso, come fosse diventata il capo. Una volta gliel'ho detto, lei mi ha risposto che non era vero e si è scusata. Ma per farglielo notare ogni tanto le rispondevo: «Signorsì signore» o anche «Agli ordini capo». Mi aspettavo che ridesse, invece si infastidiva.

Qualcosa tra noi era venuto a mancare, non capivo cosa fosse, come se a un tratto non ci riconoscessimo più.

Cercavo di aiutarla più che potevo, ma era come non bastasse mai e ho iniziato a sentirmi inadeguato.

Passavano i giorni, passavano le settimane e la cosa sembrava peggiorare. Dal momento in cui Leo era entrato nella nostra vita, ero diventato incapace di fare tutto, o almeno questo era come Sofia mi faceva sentire. Pareva non fidarsi più di me, spesso mi parlava come a un figlio poco intelligente.

Una volta mi ha anche sgridato: «Non posso correre dietro a lui e a te, bisogna che impari a tenere in ordine, non vivi più con tua madre».

Qualsiasi cosa dovessi fare sembrava avessi bisogno di lei, della sua supervisione. Era diventata un elicottero che mi girava attorno e controllava tutto.

Dovevo stare attento a come prendevo Leo dal lettino, a sostenere bene il collo e a non far penzolare la testa, a come lo tenevo in braccio, come lo facevo digerire, come lo muovevo. Quando cambiavo il pannolino stava dietro di me, interveniva per sistemarlo perché lo avevo chiuso troppo stretto o troppo largo o troppo in alto o troppo in basso.

«Lo hai asciugato bene prima? Ieri era tutto arrossato, vuol dire che non era bene asciutto.»

Un giorno aveva freddo, era sul divano e stava allattando, le ho detto: «Ti porto un maglione, quale vuoi?».

«Grazie ma faccio io quando ho finito, tu per cercarlo ribalti tutto il cassetto e fai disordine.»

Non ero più in grado nemmeno di prenderle una cosa da un cassetto. Ogni occasione sembrava buona per farmi sentire piccolo.

Invece che offendermi ed essere risentito ho iniziato

a sorridere, non so perché. Mi sarei anche potuto mettere a ridere. Che strana reazione.

Nella gestione di Leo nascevano divergenze, abbiamo scoperto di avere modi diversi nell'interagire e comportarci con lui.

«Secondo me quando piange non dobbiamo correre subito a prenderlo in braccio altrimenti lo abituiamo male.»

«Sì, lo so, ma è difficile sentirlo e non fare nulla» ha risposto Sofia.

«È così le prime volte, poi impara.»

A parole era d'accordo con me, ma alla prima occasione è corsa da lui. Quando è tornata da me non l'ho nemmeno guardata in faccia, ho fatto finta di niente ma la cosa mi aveva innervosito parecchio.

Non sono mai stato così suscettibile e permaloso, forse mi scocciava vedere che non avevo nessun tipo di autorità e che quello che pensavo e dicevo non contava niente.

C'erano anche decisioni più importanti da prendere, superati i tre mesi bisognava fare le vaccinazioni. E non tutte erano obbligatorie.

Abbiamo cercato di capire come muoverci, io ero portato per il sì, Sofia invece non prende medicine se non in casi estremi e aveva letto che le vaccinazioni potevano essere pericolose. Era difficile capire dove stesse la ragione, più cercavamo di informarci più eravamo confusi. Chi sosteneva addirittura che se non le avessimo fatte non avremmo potuto iscrivere Leo in certi asili e scuole.

«Non ci sono rischi, al massimo un po' di dolore e un po' di febbre dopo qualche giorno. Niente di più.» Così aveva detto la nostra pediatra. Altri invece dicevano che il vaccino conteneva metalli pesanti che potevano procurare danni irreversibili. Non era una decisione facile da prendere, alla fine abbiamo optato solo per quelle obbligatorie.

Sul lettino dell'ambulatorio Leo ci guardava e non capiva cosa stesse succedendo, non aveva paura, sorrideva, giocava con Sofia. Quando gli hanno fatto l'iniezione è scoppiato a piangere, ho pensato che nelle sue lacrime ci fosse anche la delusione di non essere stato protetto da noi. È una cosa stupida, era solo una puntura, ma siamo usciti da quell'ambulatorio tutti e tre emotivamente toccati.

Alcune coppie hanno bisogno di un terzo elemento per sentirsi unite, un punto in comune dove indirizzare il proprio amore, un figlio, un cane, un gatto, un hobby, un progetto, un'attività professionale. Riescono ad amarsi meglio attraverso qualcos'altro.

Per molti l'arrivo di un figlio è il momento più bello della vita, in cui la felicità è così potente da farti esplodere il petto e ci si sente uniti più che mai.

Per me e Sofia non è stato così. L'arrivo di Leo ha fatto saltare i nostri equilibri e ci siamo ritrovati all'improvviso dentro una crisi profonda.

Ogni tanto finivo ancora a dormire sul divano.

Quello che avevamo costruito prima di avere un figlio, il calore della relazione, il modo di stare insieme, sembrava sempre più lontano. Non litigavamo spesso durante il giorno, eravamo bravi a non farci prendere dai momenti di tensione ma la distanza tra noi sembrava aumentare.

L'ironia, la complicità erano un ricordo.

Sapevo che sessualmente avremmo avuto un calo, me lo aspettavo, lei si vedeva a pezzi, il viso mostrava la stanchezza, non si sentiva attraente, il suo corpo non si era ripreso del tutto, era esausta. In più c'erano ancora gli scompensi ormonali e questo non aiutava.

Un giorno, al mio rientro, mi ha detto tutto d'un fiato: «Faccio schifo, sono gonfia, sono grassa, quando mi guardo mi viene da piangere. Quando torni a casa mi sento in colpa per com'è l'appartamento, un casino totale, sembra che sia rimasta sul divano tutto il giorno, invece non ho avuto un attimo libero. Apri la porta e mi trovi qui in pigiama con la maglietta sporca di latte e vomito. E sai a cosa penso quando mi vedo così? Che tu sei al lavoro e ci sono donne coi tacchi alti, i capelli puliti, magre, truccate, sexy, e lo so che quando le guardi fai il paragone con me che sono a casa in pigiama e non ho avuto il tempo nemmeno di farmi la doccia».

La questione sessuale non mi preoccupava più di tanto, ero convinto si trattasse di un periodo e che fosse normale. Nemmeno io avevo molta voglia, alla nascita di un figlio l'uomo perde immediatamente quasi un terzo del testosterone per almeno cinque anni. Ma mi preoccupava la nostra intimità, quella se ne stava andando giorno dopo giorno. Non si riusciva più a comunicare, tornavo a casa la sera e non trovavo un momento per parlarle. Noi che avevamo sempre chiacchierato per delle ore.

Il bambino era in mezzo ogni momento. Le sue grida coprivano le nostre parole.

Le stavo dicendo una cosa a cui tenevo e mi interrompeva perché aveva sentito dei rumori venire dalla cameretta di Leo, forse si stava svegliando. A volte addirittura mi zittiva col dito sulla bocca facendo *shhh*. Poche cose mi irritano come questa.

Peggio ancora quando eravamo nel mezzo di una discussione, e lei tutto d'un tratto correva da lui e io rimanevo lì, in sospeso, e la cosa mi rendeva ancora più incazzato e nervoso. Era frustrante il fatto che la priorità fosse sempre il bambino.

A volte dopo aver litigato continuavo la discussione

nella mia testa, e succedeva di incazzarmi con me stesso perché mi veniva in mente delle cose che non le avevo detto. *Avrei voluto dirle...* mi ripetevo.

Tutto era diventato faticoso, tanto che quando al mattino uscivo di casa per andare al lavoro tiravo un sospiro di sollievo.

A volte mi guardavo nello specchio dell'ascensore e mi dicevo: *Ma in che situazione ti sei infilato?*

Sofia, poi, era gelosa del fatto che andassi a lavorare, quando parlava del mio lavoro sembrava volesse farmi sentire in colpa.

Come se io stessi vivendo ancora la mia vita mentre lei non poteva fare più niente. Tutta la sua giornata era in funzione dei bisogni di Leo.

«Guarda che vado a lavorare, non in vacanza, il mio unico momento libero è in macchina quando vado e torno dall'ufficio» le ho detto un giorno.

«Almeno esci, vedi gente, pranzi con loro, ridi. Non sai come mi manca il mio lavoro.»

«Ancora qualche mese, porta pazienza, poi tornerai anche tu a lavorare.»

«In uno show-room? Non vedo l'ora» mi ha risposto con sarcasmo.

Non ho detto nulla, non sapevo cosa dire.

«Mi piace fare la mamma, solo a volte è molto pesante.»

La cosa che rendeva tutto ancora più difficile era il fatto che lei fosse sola, che non fosse nella sua città, con le amiche vicine, la famiglia.

«Perché non prendiamo una persona che ti aiuti? Un paio d'ore al giorno, giusto per poter uscire un attimo da sola, fare due passi, andare in palestra se ti va. Staccare un attimo.»

«È presto, magari più avanti. Non me la sento di lasciarlo a un'estranea.»

E poi a chi avremmo potuto lasciarlo? Ancora non ce la sentivamo di prendere una baby-sitter. Ma sentivo che dovevamo stare un po' soli, per questo una sera sono riuscito a convincerla a uscire a cena noi due, come ai vecchi tempi.

Allattava ancora ogni tre ore, ha accettato che mia madre potesse dare il latte in polvere a Leo se si fosse svegliato affamato.

Abbiamo cercato di divertirci, avremmo voluto ubriacarci insieme, non lo facevamo da tanto, ma lei non poteva bere, allora ho preso un sorso del mio vino e le ho dato un bacio, giusto per farle sentire il sapore.

È stato un buon primo passo. Quando siamo tornati a casa Leo dormiva dopo aver finito quasi tutto il biberon di latte artificiale.

Purtroppo non ha più fatto la cacca per quasi tre giorni, tanto che abbiamo dovuto comprare dei mini-clisteri per neonati. C'è voluta una settimana perché tornasse alla sua regolarità. Sofia si è sentita in colpa per giorni e anche se non me l'ha detto era incazzata più con me che con se stessa.

Niente sembrava facile, nemmeno una cena.

Una sera a letto sono rimasto sveglio per ore.

Pensavo alla mia vita, la smontavo e la rimontavo nel tentativo di comprenderla meglio. Ero confuso, mi ero perso. Non capivo come avessi potuto allontanarmi così tanto da me stesso.

Mi sembrava di essere dentro uno di quei giochi che si trovano su certe riviste: in base alla risposta che dai prendi la strada per la domanda successiva e così fino alla fine del percorso, dove ti dicono che persona sei. Mi sentivo una somma infinita di piccoli compromessi, di risposte «dovute» più che «volute», e adesso non trovavo più la strada di casa, non ricordavo nemmeno più da dove ero partito e in che casella ero all'inizio. Alla fine del percorso il profilo tracciato non sembrava combaciare con me.

Pezzo per pezzo, passaggio dopo passaggio, cercavo il senso di tutto ma mi sfuggiva sempre qualcosa. Ho avuto la sensazione che in alcuni momenti non fossi stato io a decidere. Forse a decidere è stata la vita stessa.

Mentre cercavo di interpretare e capire i miei sentimenti sono stato travolto da un enorme senso di colpa. Ho realizzato una cosa di cui mi sono vergognato. Prima di diventare padre mi avevano detto cose straordinarie: «Da quando in sala parto te lo danno in braccio, di te non ti importa più nulla, c'è solo lui e il suo bene. Avere un figlio significa amare un altro essere più di te stesso, più della tua vita».

A me non era successo.

Lo amavo, sentivo di volerlo proteggere, prendermi cura di lui, ma non sentivo l'amore di cui tutti mi avevano parlato, quell'amore che avrebbe cancellato me stesso. Almeno non subito, quando l'ho preso in braccio la prima volta. È successo dopo, è cresciuto lentamente, l'ho costruito.

All'inizio mi scocciava da morire non poter fare le cose come prima, non avere mai tempo per me, per i miei bisogni. Mi sembrava che la persona più importante per me fossi ancora io, ho continuato a desiderare le cose di prima.

Ho capito che la fonte delle mie ansie era che non sarei potuto tornare indietro, sarei stato padre per il resto della mia vita.

Ho smesso di andare in palestra, al cinema, a teatro, ai concerti, mi sentivo in colpa a lasciare Sofia a casa sola anche di sera. A parte il lavoro non facevo nient'altro. Anche Mauro ha iniziato a cercarmi meno e lo capivo. Era deprimente dovergli dire no ogni volta che mi chiedeva di uscire.

«Non sei in galera, una birra con il tuo amico te la puoi bere, pare che sei l'unico al mondo ad avere un figlio.»

Mi sembrava di scontentare tutti, le persone con cui lavoravo, mia madre, gli amici, Sofia. E soprattutto me stesso.

Quando tornavo dal lavoro avrei voluto rilassarmi ma Sofia vedeva il mio rientro in casa come una salvezza. Avrei voluto sentire della musica o stare in silenzio, lei voleva chiacchierare. Una sera mi ha detto: «Ho bisogno di parlare con un adulto e tu sei sempre distante anche quando sei a casa, non dici più niente, sembra che sia diventata trasparente».

«Sono solo stanco. Non dormiamo da mesi.»

«A me lo dici?»

«Almeno tu il pomeriggio puoi dormire con Leo.»

Mi ha guardato in un modo che pensavo mi avrebbe strozzato. Ho cercato di recuperare: «Lo so che per te è ancora più dura, tu non c'entri, è la situazione».

Le pareva di fare tutto per gli altri e di ricevere poco in cambio: «Lo so che sei stanco ma sei anche meno affettuoso, sembra che mi eviti».

«Non lo sono mai stato tanto.»

«Non è vero, con me lo eri, e con Leo lo sei: lo abbracci, lo baci, ci giochi, lo guardi con amore. È con me che hai smesso.»

«Con lui è diverso.»

«Cosa vuol dire diverso?»

Ho fatto una smorfia, non ho saputo rispondere ma ho capito che c'era rimasta male.

La sera sul divano l'ho guardata e le ho detto: «Mi spiace di essere poco affettuoso».

«Scusami tu.»

«E di cosa?»

«Sono diventata una rompiscatole, mi lamento sempre, nemmeno me ne accorgo.»

Ci siamo dati un bacio, doveva essere un bacio piccolo, invece si è trasformato in uno lungo, vero. Mi sono eccitato. L'ho presa per i fianchi e l'ho tirata verso di me.

«Cosa fai?»

«Vieni qui.»

«Sono stanca morta, non mi va.»

«Ma come?»

«Adesso proprio no, non mi sono neanche fatta la doccia oggi.»

«Preferisco quando non la fai, mi piace il tuo odore.»

«Questa volta ho superato il limite, anzi prima di andare a letto mi butto in doccia due minuti, altrimenti rischio di non farmela nemmeno domani.»

«Prima scopiamo.»

Ha cercato di allontanarmi ancora, ma ho sentito che in quel gesto c'era meno forza. Abbiamo fatto l'amore. Erano quasi tre mesi che non lo facevamo.

Quattordici

Prima di diventare padre pensavo che vestire un bambino fosse più o meno come vestire una bambola. Avevo dimenticato che un bambino è un essere vivente con una sua mobilità.

Leo non stava mai fermo quando lo cambiavo, nemmeno adesso che è più grande. La maggior parte delle volte scalciava, si dimenava e cercava di girarsi nel tentativo di scendere dal fasciatoio. Tutte le magliettine, i body e i pigiami si chiudono con tre bottoni automatici. Dopo mesi ancora ne saltavo uno oppure sbagliavo la sequenza.

Mentre stavo litigando col pigiamino di Leo, Sofia ha detto: «Ho sentito mia madre, mi ha chiesto se domenica andiamo a pranzo da loro».

A volte avevo la sensazione di essere in un gioco in cui a ogni livello aumentavano le difficoltà. Dopo la settimana di lavoro piena di problemi avrei voluto solo starmene tranquillo a casa.

«Perché non andate voi? Ho delle cose da sistemare.»

Ho capito dallo sguardo che c'era rimasta male. C'è stato un silenzio risentito poi ha detto: «Va bene».

Ha preso Leo ed è andata in sala, poi si è seduta a

terra e ha iniziato a giocare con lui in braccio. Mi sono chiesto se fosse una di quelle volte in cui sembra che usi il suo affetto verso Leo come un'arma per farmi sentire escluso. Dopo una litigata capita che si comporti in questo modo, e mi manda fuori di testa. Quella volta non era così.

Mi ero già pentito di averle chiesto di andare da sola.

Ho capito cosa intendesse Sergio quando diceva: «Quello che vuoi tu, non conta più». Ero nella stessa condizione, per il mio tempo da solo non sembrava mai il momento giusto.

Spesso il motivo delle reciproche insofferenze era che io avrei voluto più libertà, un po' più di solitudine per me, lei invece sembrava desiderare più attenzioni, più condivisione, più famiglia. Avevamo desideri opposti.

Avevo bisogno di solitudine per poter pensare alle mie cose, così come lei avrebbe dovuto dedicarsi di più ai suoi momenti, coltivare i suoi interessi così da poter portare nuova energia ed entusiasmo da condividere. Ma lei sembrava preferire il *noi* allo stare da sola. Quando le dicevo che potevo occuparmi di Leo e lei poteva uscire da sola, era come se si sentisse esclusa, come se cercassi di allontanarla, come se non volessi stare con lei. Se decidevo di prendere Leo e portarlo fuori lei mi rispondeva che preferiva venire con noi. A quel punto avrei voluto dirle: «Allora esci tu con lui e resto io a casa da solo».

Avrei voluto che mi offrisse la possibilità di stare solo come facevo io con lei.

Negli anni la mia passione per la cucina era aumentata, cucinare mi serviva per isolarmi nei miei pensieri. Ascoltavo un po' di musica, mi aprivo una bottiglia di vino rosso, mi versavo un bicchiere e non mi serviva altro. Tagliavo le verdure, preparavo un sugo, il risotto in tutte le sue svariate versioni. Per me era vacanza.

Una sera stavo facendo il minestrone, ero a casa solo, la voce della Callas riempiva tutta la cucina, sorseggiavo un Dolcetto d'Alba e pensavo ai fatti miei. All'improvviso Sofia è tornata a casa con Leo, era stanca, lui aveva fame e la stava facendo impazzire. È entrata trafelata, ha acceso subito la cappa della cucina, ha aperto la finestra dicendo che si sentiva l'odore delle verdure sulle scale e poi mi ha detto che avrebbe controllato lei i fornelli, bisognava lavare Leo e mettergli il pigiama, mi ha chiesto se potevo farlo io. «Certo» le ho risposto.

Come potevo dire di no? Aveva speso tutto il giorno con quel gomitolo di bisogni che chiamiamo figlio.

Ecco, la nostra vita era così, piccoli momenti di quiete rubata che venivano spazzati via in un secondo. Nel giro di pochi minuti, dalla Callas che mi faceva volare mentre sorseggiavo del vino, mi sono ritrovato in ginocchio a fare il bagno a mio figlio.

È come quando sto sognando e Leo mi sveglia.

Una volta stavo passeggiando per New York e mi sono fermato in un bar per prendere un caffè. Mentre aspettavo che la cameriera mi servisse, la porta d'ingresso si è aperta ed è entrato Robert De Niro. Si è avvicinato al mio tavolo e mi ha chiesto: «Posso sedermi? Devo dirti una cosa importante». Nel sogno lo trattavo come uno qualunque. Dopo essersi seduto di fronte a me e avermi guardato a lungo mi ha detto: «Sai qual è il tuo talento, caro Nicola? Quello che ti salverà sempre nella vita?».

«No, dimmelo tu.»

All'improvviso nel bar qualcuno ha iniziato a gridare, sembrava il pianto di un bambino. Mi è bastato qualche secondo per capire che lo era, era Leo. Sofia si è alzata per calmarlo, ho fatto di tutto per riaddormentarmi subito e riprendere il sogno dove si era interrotto, ma De Niro se n'era andato per sempre. A volte i figli ti rovinano i sogni.

Durante la cena c'era ancora tensione tra di noi.

Ho guardato Sofia e le ho chiesto: «Ci sei rimasta male per il pranzo dai tuoi?».

«No.»

«Di' la verità.»

Dopo un silenzio in cui si sentivano solo i rumori delle posate mi ha detto: «Durante la settimana non abbiamo molto tempo, se i weekend vado via quando ci vediamo? Sono contenta di vedere le mie amiche, ma adesso ho anche una famiglia e mi piacerebbe stare tutti insieme. Smettila di spingermi via».

«Non ti sto spingendo via.»

«La prossima volta ci vado durante la settimana. Va bene?»

«Va bene, ma non ti sto spingendo via.»

Sapeva che la mia gentilezza era finta, era una bugia. Sapeva che in realtà le stavo dicendo: «Levatevi dai piedi e lasciatemi solo un paio di giorni».

Quando le dicevo di andare da qualche parte senza di me reagiva sempre male.

A volte non vedevo l'ora che arrivasse lunedì mattina perché in alcuni weekend per me c'era troppa famiglia. Faticavo, come se mi sentissi svuotato e non avessi più amore o attenzione da dare. Mi sentivo in ostaggio e mi vergognavo di non voler essere lì con la donna che amavo e con mio figlio. Quando mi sentivo così, finiva che facevo le cose perché dovevo farle e non perché mi andava. Vivevo tutti quei piccoli obblighi come una schiavitù domestica.

Tanto più cercavo di nascondere una cosa, tanto più Sofia la percepiva. Capiva che non volevo essere lì con loro e mi accorgevo di deluderla, di ferirla. In quei momenti non mi importava molto di come si sentiva, riuscivo a raggiungere dei livelli di egoismo vergognosi. A volte invece mi spiaceva, e nel tentativo di nascondere il mio umore iniziavo a imitare, imitavo me stesso nei giorni felici, quando avevo voglia di stare con loro.

Il pranzo domenicale dai suoi genitori, comunque, me lo sarei risparmiato volentieri. Non ho mai amato passare la domenica da loro e da quando c'era Leo era ancora peggio. La mamma era avida di nipoti. Da quando entravamo in casa non lo mollava un attimo, gli stava addosso tutto il tempo. Sembrava figlio suo.

Credo che la famiglia di Sofia fosse convinta che avessi problemi seri di prostata, perché quando ero da loro andavo in bagno mille volte. In realtà chiudevo la porta, mi sedevo sulla vasca e tiravo un respiro di sollievo chiedendomi come avevo fatto a finire in quella situazione. Avevo scelto Sofia, non tutte quelle persone di là in salotto.

Anche per loro vedersi senza di me era più spontaneo, stavano insieme in modo meno formale. Quando vado a trovare mia madre da solo è diverso rispetto a quando c'è Sofia, siamo più intimi.

Una volta ho provato a parlarne con Sofia, mi ha risposto che sono tutte cazzate, tutte scuse che mi inventavo per non andare con lei e farmi i fatti miei.

Un altro motivo per cui non sempre andavo volentieri dai suoi era che avevo sempre pensato, in effetti, che l'uomo di casa potesse farsi un po' i fatti suoi, come aveva sempre fatto mio padre. La domenica non veniva quasi mai dai nonni con me e mia madre, e non c'erano discussioni.

Siamo andati a letto, Sofia era ancora risentita. Ho sempre odiato quando andiamo a dormire e c'è ancora tensione tra noi. A volte mi tiene sveglio ore, altre invece mi scaraventa in un sonno profondo, come se volessi scappare.

L'ultima volta che è successo mi ha detto: «Ti sei addormentato come se niente fosse. Litighiamo e tu ti giri dall'altra parte e ti addormenti. Mi sono innervosita ancora di più e sono stata sveglia tutta notte. Ma come fai a dormire in una situazione così? Non ti importa proprio niente di noi ormai».

Quella sera a letto ho capito che aveva ragione. Erano già tre volte che le proponevo di andare da sola dai suoi: «Perché non ti fai un weekend dai tuoi? Così esci con le tue amiche e i tuoi vedono Leo».

Mi sono avvicinato per abbracciarla. Quando è arrabbiata di solito con un colpo di spalla mi allontana e tira il piumone verso di sé, come se le altre notti la mia porzione di coperta fosse un suo atto di generosità.

Quella sera mi dava la schiena e quando l'ho abbracciata da dietro è rimasta immobile. Né un rifiuto né consenso. Ci siamo addormentati così, in silenzio. Al mattino non aveva l'aria di essere arrabbiata.

«Mi sa che vengo anche io domenica, ho cambiato idea.»

«Se lo fai per me non preoccuparti, capisco che sei stanco.» Sembrava sincera.

«Riposo questa sera, non è un problema. Anzi, ti va più tardi di andare a fare un giro in centro? Così, per vedere qualcosa.»

Mi ha sorriso felice.

Durante la passeggiata ho pensato a un altro motivo per cui non avevo voglia di andare dai suoi: ero geloso. Ero geloso di Leo, di tutti quelli che lo volevano prendere in braccio, che lottavano per essere i suoi preferiti, che non lo lasciavano in pace un attimo. Ed ero geloso anche di Sofia, ero geloso di lei quando stavamo con la sua famiglia. Ormai lei era mia, non loro.

«A cosa stai pensando?» mi ha chiesto.

«Non vedo l'ora di uscire a cena da solo con te, bere del vino e chiacchierare come una volta.»

Se le avessi detto quello che pensavo non mi avrebbe creduto e soprattutto non avrei fatto una gran figura.

Ho guardato Leo nel passeggino e poi ho preso la mano a Sofia.

Siete la mia famiglia, mi sono detto, *e non mi va di spartirla con nessuno.*

Quindici

Ho capito che Sofia non vuole solo sentirsi amata, non le basta, vuole sentirsi desiderata, vuole sentire che impazzisco per lei, impazzisco dalla voglia di sbatterla contro il muro, perché è così che a volte vuole fare l'amore. Vuole sentire la passione esplodere, vuole che le tiri i capelli, che la prenda con forza, che le morda la carne. Non me l'ha mai detto ma lo so. Lo sento.

Dopo un po' che si sta insieme è difficile sentire il desiderio delle prime volte. Non che non mi piaccia più, la trovo ancora attraente e ho voglia di fare l'amore con lei, anche di scoparla, ma qualcosa se n'è andato con la conoscenza, con la confidenza, l'intimità. È svanito un po' di mistero.

Il desiderio nasce sempre da una mancanza, da un'assenza. Da qualcosa che non si ha e che si vuole avere. Se un'assenza diventa presenza, il desiderio svanisce. Si può ancora *volere* ciò che si ha, si può *amare* ma non è più possibile *desiderare*.

La nostra vita sessuale in quei mesi aveva avuto un calo in quantità e in qualità. Non era solo una questione di desiderio, non si faceva più l'amore quando si voleva ma quando si poteva, quando se ne aveva l'occasione.

Al mattino Leo ci svegliava, uno di noi due doveva andare a prenderlo dal suo lettino – dove ormai dormiva da solo – e in quel caso o lo si portava a letto con noi o in cucina a fare colazione. Di giorno non ero a casa, quando tornavo la sera c'erano mille cose da fare e quando andavamo a letto spesso eravamo stravolti.

Nell'ultimo periodo avevamo fatto l'amore mentre Leo dormiva o quando era preso dai suoi giochi. Era una sessualità rubata e a me piaceva da morire, mi sembrava di essere tornato a quando facevo l'amore nel bagno dell'ufficio con una collega con la paura di essere scoperto o a casa di qualcuno durante una festa. Mi aiutava l'idea di essere clandestini.

Un giorno Leo dormiva, avevo appena finito di fare la doccia e Sofia si stava mettendo una crema davanti allo specchio. La situazione sembrava ideale. *O adesso o mai più*, mi ero detto. L'avevo presa da dietro, non se l'aspettava, e credo abbia giocato a mio favore, il sesso all'improvviso è sempre bello.

Mi piace fare l'amore in quella posizione, prenderle i fianchi o i capelli, vederla riflessa nello specchio, soprattutto quando lei si volta leggermente col viso e inizia a mordersi una spalla per non farsi sentire.

Dopo qualche minuto Leo aveva iniziato a piangere. A volte penso che non fosse una coincidenza ma che in qualche modo lo sentisse. Anche quando aveva poche settimane si svegliava e si lamentava dopo qualche minuto che facevamo l'amore, come se il corpo di Sofia e il suo fossero in una connessione profonda.

Io e Sofia ci eravamo guardati riflessi nello specchio, volevamo capire che fare. Avevamo aspettato nella speranza che lui smettesse, invece aveva iniziato a piangere più forte e lei se ne era andata, lasciandomi così, nudo ed eccitato.

Quando mi trovavo in quelle situazioni non sapevo mai come comportarmi, non sapevo se finire da solo, lasciare perdere o aspettarla.

Di solito aspettavo qualche minuto per vedere se riusciva a sistemare la situazione e tornare. Una volta avevo finito da solo e lei era tornata.

«Mi spiace» le avevo detto mostrandole la mia parte bassa in assoluto riposo. C'era rimasta male come quando pensi tutto il giorno alla fetta di torta che hai in frigorifero e poi scopri che qualcuno l'ha già mangiata.

La nostra vita sessuale in quel periodo aveva sacrificato i preliminari. Un po' mi dispiaceva, fin da ragazzino mi ero sempre dedicato molto ai preliminari, l'attesa giocherellando con il corpo di una donna mi caricava.

Alla fine a forza di rinunciare avevo iniziato a saltare i preliminari anche quando mi masturbavo.

Se lo facevo guardando un video porno, non ne cercavo mai uno che fosse più lungo di cinque minuti e non arrivavo nemmeno alla fine. Guardavo l'inizio e poi se non c'erano posizioni interessanti andavo diretto alla fine, quando l'attrice era già in ginocchio e lui stava per raggiungere l'orgasmo sulla sua faccia.

A volte non facevamo l'amore perché uno dei due non aveva voglia, ed era proprio uno spreco, mi veniva sempre da pensare che avremmo dovuto farlo comunque anche controvoglia.

Se lei mi diceva di no ci rimanevo male ma non ne facevo un problema, se dicevo di no io iniziava a pensare di non piacermi più.

Quasi sempre si trattava di un periodo che poteva andare avanti settimane, poi magari la voglia tornava e all'altro non andava più: «Quando voglio io mi dici sempre di no, ora che sei tu ad avere voglia dovrei accettare? Adesso ti arrangi».

In certi momenti fare l'amore con lei era la cosa che desideravo meno al mondo, poi un giorno, all'improvviso, sentivo il suo odore o la guardavo mentre faceva qualcosa per casa e l'avrei sbranata. Mi eccitava come nessuna donna al mondo.

Un giorno avevamo fatto l'amore e non ero molto carico. Mi capitava a volte di non essere particolarmente virile.

Per un uomo mentire è più difficile, l'erezione è la macchina della verità. E non parlo solo di avere l'erezione ma di farla durare per tutto il tempo. A volte dopo una buona partenza piena di entusiasmo e allegria tutto svanisce.

Una donna può far finta, dal desiderio iniziale all'orgasmo finale. A volte ci si accorge che non ha voglia, non perché non dice niente ma perché dice troppo, ansima in maniera esagerata. Vuole farti credere che ti vuole tantissimo, in realtà lo fa per farti venire prima. Come dice sempre Mauro, «meglio una scopata muta che una recitata».

Avevamo fatto l'amore ed era stata una di quelle volte in cui spingo l'osso pubico sul suo clitoride. Una volta finito avevo capito che avrebbe voluto dirmi qualcosa, ma avevamo fatto finta di nulla.

Il giorno dopo eravamo sul divano a guardare un film e all'improvviso mi ha chiesto: «Pensi che sia una donna attraente?».

La domanda era nella sua testa da giorni. La mia mancanza di virilità della sera prima aveva creato in lei un'insicurezza.

«Certo che sei attraente.»

Sapevo che la mia risposta non era sufficiente.

«Se dovessimo incontrarci oggi per la prima volta, se mi vedessi per strada adesso ci proveresti ancora con me?»

«Certo che ci proverei ancora.» Cercavo di dare risposte chiare e soprattutto senza esitare. Un solo secondo di pausa poteva farmi perdere credibilità.

«Quando lo facciamo non ti sento più tanto.»

«Sono stanco e ho un sacco di pensieri al lavoro. E poi sto anche invecchiando» ho aggiunto alla fine per sdrammatizzare.

A volte mi capitava di pensare che se avessi fatto l'amore con un'altra la virilità sarebbe tornata, ma non potevo dirglielo. Non potevo essere sincero al cento per cento.

Pensavo che un'altra donna avrebbe potuto portare con sé il mistero, la novità che tra noi non poteva più esistere. E poi con una che non conoscevo mi sarei sentito più libero, mi sarei lasciato andare più facilmente e avrei fatto meglio l'amore. Certo non di sera, sarei stato comunque troppo stanco. Pensavo più a una scopata nel primo pomeriggio.

Sedici

Alcune mattine quasi non ci parlavamo, sembrava fossimo arrabbiati, in realtà non avevamo le forze, quelle rimaste ci servivano per andare avanti, servivano ad accettare il nuovo stile di vita, a ricalcolare la rotta per non andare a sbattere.

Una mattina, mentre bevevo il caffè seduto di fronte a Sofia, pensavo alla nostra vita di prima, alle colazioni, alle chiacchierate che ci facevano arrivare tardi al lavoro. Eravamo pieni di energia, attenzioni, mani che si sfioravano.

Una volta, poco dopo aver cominciato a vivere insieme, mentre mi guardava le ho chiesto: «Che c'è?».

«Mi sono accorta di essere felice.»

Adesso ero io a guardarla e lei, voltata verso Leo, non se ne accorgeva nemmeno.

Aveva un ciuffo di capelli davanti al viso. Ho sempre amato sistemarglielo dietro le orecchie, lo trovavo un gesto così intimo. Mi sono chiesto da quanto tempo non lo facessi e perché avevo smesso.

Dove ci siamo persi? ho pensato.

La nostra vita era diventata una continua insoddisfazione, una quotidiana frustrazione. Volevo fare delle cose e non potevo. Volevo fare delle cose e dovevo farne delle altre. Mi sembrava di essere tornato un ragazzino che vuole andare ovunque ma non ha la patente. Come a quell'età, anche adesso la mia vita era organizzata secondo i bisogni e i desideri di altri. Ho iniziato a pensare a come avessi usato male la mia libertà prima, mi sembrava di aver capito molte cose quando ormai era troppo tardi.

Se avessi potuto tornare indietro avrei viaggiato di più, sarei uscito di più, sarei andato a tutte le feste e soprattutto avrei scopato di più, anche donne non belle. Avrei fatto di tutto pur di sentirmi consumato e stanco. Invece dovevo convivere con la sensazione di aver sprecato tempo.

Una sera ho proposto a Sofia del sushi per cena: «Passo io a prenderlo».

«Va bene, ottima idea.»

Era venerdì, sono andato in un ristorante giapponese non lontano dall'ufficio. Ho ordinato il nostro take away, ho preso una birra e mi sono seduto sul marciapiede ad aspettare.

Era in una zona pedonale, piena di bar.

Proprio di fronte al ristorante ce n'era uno molto frequentato. C'era un grande fermento, un via vai di gente che riempiva piattini di ogni cosa mentre teneva in mano bicchieri di birra, cocktail, vino, prosecco. Chiacchieravano, vedevo sorrisi, risate, pacche sulle spalle. Ho notato una ragazza, stava in piedi in mezzo a un gruppo, indossava un paio di jeans e una maglietta scollata, aveva capelli lunghi lisci e tacchi alti. Si è girata per salutare un ragazzo e la maglietta era aperta dietro, si vedeva tutta la schiena. Sembrava molto bella. Mi sono incuriosito, volevo sapere come fosse. Senza nemmeno pensarci ho attraversato la strada, mi sono avvicinato al vetro e l'ho guardata. C'erano altre ragazze ma per me poteva venir giù tutto il locale, volevo vedere lei. M'interessava solamente lei. Era bellissima. Non guardavo una donna con desiderio da mesi. Ho pensato a cosa avrei fatto qualche anno prima in quella situazione. Non avrei esitato un solo istante. Sarei entrato e sarei andato dritto a parlarle, con la certezza che sarebbe stata mia.

Quando ero adolescente un ragazzo più grande di me mi aveva detto che il segreto in un approccio è parlare con una ragazza come se fosse già tua, non far trapelare nessuna incertezza. Ho fatto così tutta la vita anche se non ha funzionato sempre. Lei, a un certo punto, deve aver sentito il mio sguardo perché si è voltata e mi ha guardato. Mi ha guardato con un'espressione che mi ha riportato alla realtà. Mi sono vergognato nel vedere lo sguardo che mi ha rivolto, come fossi una specie di maniaco. Ho fatto un mezzo sorriso e me ne sono andato.

Ho ritirato il mio sacchetto e quando sono uscito non ho nemmeno guardato in direzione del locale. Mentre Sofia sistemava i giocattoli sparsi per terra ho messo a letto Leo.

Aveva il pigiama con gli aerei disegnati, il mio preferito, i capelli pettinati e profumava di buono, come ogni volta dopo il bagnetto. Mi guardava. Poi si è girato nella posizione che ama e lentamente si è addormentato. Ho iniziato a pensare alla ragazza di prima, era ancora lì nella mia testa.

Tutti mi dicevano che avere una famiglia, un figlio, era la vera ricchezza. Le persone nel locale, tutte intorno alla quarantina, ancora in cerca, ancora in pista, erano infelici, fingevano di essere allegre ma in realtà uscivano per nascondere un profondo senso di solitudine.

Non erano capaci di compromettersi, di mettersi a rischio. Invidiavano quelli come me, quelli coraggiosi sul serio. La vera ricchezza era nella vita come la mia.

Così mi avrebbero detto alcune persone che conoscevo, eppure io non la riuscivo a vedere tutta quella ricchezza. Guardavo mio figlio con gli aeroplani disegnati sul pigiama e invidiavo le persone che avevo visto prima, vedevo solo quello che non potevo avere e non potevo fare.

Sofia è entrata in camera perché tardavo a tornare.

«Tutto bene?» ha bisbigliato.

«Sì, arrivo, non voleva dormire.» Povero Leo, ignaro che lo stavo usando per le mie faccende personali.

Abbiamo mangiato il sushi e poi abbiamo guardato una puntata di «Shameless».

Mentre in bagno ci lavavamo i denti, Sofia mi ha detto: «Domani mi accompagni all'Ikea? Ci servono delle cose».

Quando me lo ha chiesto le davo la schiena e ho buttato gli occhi al cielo come se mi avesse dato una pugnalata alle spalle. Avrei potuto dirle di no ma non so perché ho detto sì.

A letto guardavo il soffitto e tutto quello che riuscivo a vedere era ancora lei, la ragazza del bar. Ho iniziato a immaginare cosa sarebbe successo se fossi andato da lei. Immaginavo di convincerla a uscire dal locale, non dovevamo perdere altro tempo in quell'oceano di persone, la pesca migliore l'avevamo già fatta. Ho immaginato tutta la serata, era lì sul soffitto, la vedevo bene, non era distante. Eravamo a casa sua e lei era nuda nel letto, vedevo le gambe lisce e morbide. Mentre stavo per sdraiarmi su di lei ha detto: «Fermati. Aspetta», e si è girata a pancia in giù: «Prendimi da dietro».

In quel preciso istante Leo ha iniziato a piangere,

qualche secondo è stato sufficiente per distruggere tutto.

«Vado a controllare» ho detto a Sofia.

«Grazie.»

Sabato mattina verso le undici eravamo in macchina. Leo era attivo dalle sei, ero distrutto. Appena ho messo piede all'Ikea mi sono detto che dovevo imparare a dire no, a difendere meglio i miei spazi.

Quando faccio qualcosa che non voglio inizio a non parlare più.

Un uomo vero non si sarebbe trovato in quella situazione. Mio padre non sarebbe mai andato con mia madre, lei ci sarebbe andata con un'amica o con mia nonna o sua sorella. Non glielo avrebbe neanche chiesto. Era una cosa da donne, non da uomini. Come mai non sono stato capace di farlo capire subito a Sofia quando ci siamo conosciuti? Perché all'inizio mi piaceva, ecco perché, ero contento di andare all'Ikea con lei, mi faceva piacere gironzolare e immaginare un futuro pieno di candele, tovagliette, scodelle colorate. Prendevo una tazzina del caffè color pastello e in quella tazzina proiettavo il film delle nostre future colazioni.

Rimuginavo sulla mia condizione e proprio prima di scendere le scale verso pentole, piatti, asciugaposate mi sono venute in mente due persone, una era la ragazza della sera prima, con la sua schiena nuda, mi chiedevo se fosse andata a casa con qualcuno, se fosse rimasta a dormire da lui, se mentre ero all'Ikea lei si stesse rivestendo per tornare a casa. E lui, l'avrà scopata bene? L'avrà soddisfatta? Io ce l'avrei messa tutta.

L'altra persona era Mick Jagger, Mick Jagger non va all'Ikea con sua moglie. Lui non va dove non vuole andare. Cazzo, non si permettono neanche di chiedergielo. Lui va solo dove gli pare e quando gli va.

Ho fatto un rumore con la gola come a dire: *Ben detto!*

Sofia mi ha guardato e mi ha chiesto con chi stessi discutendo nella mia testa. Sapeva che ogni tanto dentro di me erano in atto discussioni e lunghe chiacchierate.

«No, niente.»

Ho continuato a parlare poco, a parte rispondere sì o no alle cose che mi mostrava.

Nella zona tappeti ho incrociato lo sguardo di un uomo poco più grande di me e in lui ho riconosciuto la mia stessa inquietudine. Ci siamo fatti un mezzo sorriso e un piccolo cenno con la testa.

Lo sentivo così vicino che ci sarei andato a bere una birra subito.

Quando siamo saliti in macchina lei non sopportava più il mio atteggiamento infantile. Come darle torto del resto?

«Se devi venire con questa faccia, la prossima volta è meglio se stai a casa.»

«Me lo dici sempre ma poi continui a chiedermi di accompagnarti.»

«Allora la prossima volta non te lo chiedo oppure puoi dirmi di no. Posso venirci anche da sola, non mi serve l'autista. Non pensavo che passare del tempo con me fosse una condanna.»

Non ho risposto, non avevo voglia di discutere, e in macchina non potevo alzarmi e chiudermi in bagno o cambiare stanza. A volte mi piacerebbe aprire la portiera e rotolare giù come uno stuntman del cinema. *Puff*, sparirei con suo grande stupore. Che bella scena sarebbe.

Mentre guidavo ho pensato che Sofia sapeva che non ci andavo volentieri ma me lo aveva chiesto ugualmente perché in fondo quando si sta insieme è bello anche molestarsi un po'.

«E poi cosa ci sarà di così tremendo nel venire all'I-kea? Le cose che ho comprato per la casa servono anche a te, non siamo venuti solo per me. Le usiamo tutti. Non vivo da sola.»

A quel punto mi sono fatto scappare un: «Magari vivessi da sola».

La mia risposta aveva portato la discussione su un altro livello, non sembrava più solo uno stupido battibecco.

«Ma sei arrabbiato?» mi ha detto con aria stupita.

Ho capito di aver esagerato: «Scherzavo, non sono arrabbiato».

«Cos'è che ti dà così fastidio?»

E di nuovo ho sbagliato risposta, me ne sono accorto nel momento in cui ho finito la frase: «Sono sicuro che Mick Jagger non ci va all'Ikea con sua moglie». Ormai non potevo più tornare indietro, guardavo avanti, e ho sentito il suo sguardo addosso. Anche se non l'ho vista conoscevo già l'espressione che stava facendo, è un'espressione che fa tutte le volte che me ne esco con una frase fuori contesto.

«Mick Jagger? Cosa c'entra adesso Mick Jagger?»

«Era per dire.» C'è stato un secondo di silenzio poi Sofia ha iniziato a ridere, è stato bellissimo. Mi sentivo smascherato nella mia stupidità e cercavo di tenere il punto ma lei continuava a ridere. Sono crollato e ho riso con lei. Tutto era diventato più intenso tanto che le sono venute le lacrime agli occhi.

Quando siamo arrivati a casa eravamo ancora divertiti.

All'improvviso avevo ritrovato la donna che amavo e con cui stare tutta la vita senza una sola ombra di dubbio. Quando Sofia è così è impareggiabile. La vorrei sempre sexy, ironica, divertente, che prende tutto con leggerezza ed è capace di cambiare il mio umore in un secondo: «Faccio addormentare io Leo, tu mettiti sul divano». Leo però non voleva dormire, le volte che faceva così lo prendevo e lo portavo nel nostro letto. Lui mi abbracciava e scivolava nel sonno. Quando usiamo questa tecnica, lasciare il letto senza che si svegli è un'impresa. Tutto deve essere fatto in maniera lenta e per uscire dal letto bisogna rotolare su se stessi come un marine.

Prima di lasciarlo solo bisogna circondarlo di cuscini per evitare che cada. A me una volta è successo, ma Sofia non lo sa. E mai lo saprà.

Dopo aver fatto tutta la manovra l'ho raggiunta sul divano. Stava leggendo un articolo di moda sul computer, la osservavo con attenzione.

Avrei voluto chiederle: «Ma perché non sei sempre così? Se tu fossi sempre così, non avrei bisogno di nient'altro».

Mentre pensavo, lei mi ha guardato, ci siamo sorrisi, l'ho abbracciata.

Stringendola a me abbiamo fatto l'amore in maniera rapida e intensa.

Poi Sofia è andata a farsi una doccia, io mi sono rivestito e sono andato a controllare Leo. Era tranquillo. Mi sono sdraiato e sono rimasto a letto a fissare il soffitto. La ragazza della sera prima non c'era più.

Più tardi a cena Sofia mi ha chiesto se mi piaceva il risotto che aveva cucinato.

«Buonissimo.»

«Questo il tuo amico Mick Jagger se lo sogna.»

Diciassette

Nonostante questi piccoli episodi di felicità, la situazione non sembrava migliorare, anzi, il peso della stanchezza si faceva sentire sempre di più, era facile perdere la pazienza e ritrovarsi di cattivo umore. Bastava poco.

Quando vivi con un'altra persona ci sono giorni in cui la sua presenza ti infastidisce. Non è necessario che ti abbia fatto qualcosa, solo il fatto di averla sotto gli occhi ti irrita. È come se tutto ciò che non va nella tua vita fosse colpa sua, e una parola di troppo o un piccolo gesto sono sufficienti per litigare.

Una mattina mentre aspettavo che il caffè fosse pronto ho attaccato il telefono al caricatore. Dopo qualche minuto Sofia è entrata in cucina, lo ha staccato e ha attaccato il suo.

«L'ho appena messo.»

«È quasi carico del tutto.»

«Attaccalo al tuo in camera da letto.» Senza dire niente lo ha staccato e ci ha rimesso il mio. In macchina andando al lavoro mi sono sentito un idiota. Qualcosa dentro di me era cambiato e mi faceva essere una persona più piccola.

Leo aveva iniziato a voler essere preso in braccio continuamente, non amava stare solo. La sera rimaneva sveglio più a lungo e io e Sofia non avevamo più un momento tutto per noi.

Gli amici ci cercavano sempre meno e avevano anche ragione. Le persone non hanno voglia di sentire le tue fatiche, è il mondo adesso ad avere messo il cartello NON DISTURBARE. Sai che il mondo è là fuori, ma fai finta che non esista. Arrivata la primavera, abbiamo anche cercato di andare via un fine settimana, per non avere la sensazione di essere in trappola e non lasciare a Leo il governo di tutte le nostre scelte.

Non è stato molto rilassante, solo per lasciare l'appartamento e caricare la macchina ci abbiamo messo mezza mattina. La macchina era così piena che dallo specchietto retrovisore non riuscivo a vedere nulla. Sembrava stessimo traslocando, più che fare un weekend.

Durante il viaggio ci siamo dovuti fermare mille volte per cambiare Leo, per dargli da mangiare, per prendere alcune cose dal bagagliaio. È stato un fine settimana stressante e faticoso. Quando siamo tornati a casa ero stravolto.

Leo faceva i suoi progressi, aveva imparato a stare seduto, a noi sembrava un'impresa olimpionica. Lo mettevamo seduto sul tappeto circondato da cuscini. Rideva. Poi siamo arrivati al periodo in cui iniziavano a spuntare i primi denti.

M'immagino il dolore che può procurare un dente che per uscire deve bucare una gengiva, io piangerei e mi lamenterei molto di più.

Oltre al dolore credo ci fosse anche una sorta di fastidio, di formicolio, perché si infilava in bocca ogni cosa che trovava e la rosicchiava. Tutto quel fermento gli procurava una sorta di perenne raffreddore, gli gocciolava sempre il naso.

Sofia prendeva un tovagliolo, lo arrotolava, lo bagnava con l'acqua e lo metteva nel freezer. Quando era ghiacciato lo dava a Leo da masticare, il freddo gli toglieva un po' di dolore e di fastidio.

Faceva tenerezza vederlo seduto a terra a mordicchiare qualsiasi cosa.

Quando il momento dei denti è passato abbiamo deciso di insegnargli a non svegliarsi più la notte per essere allattato. Non era più fame ma abitudine, si attaccava alla tetta qualche secondo e poi si riaddormentava.

Abbiamo seguito il suggerimento di Lucia, la moglie di Sergio. Quando la notte Leo si fosse svegliato in cerca del latte, sarebbe bastato dargli un biberon con dentro dell'acqua. Le prime volte si sarebbe lamentato, poi non si sarebbe svegliato più. A me era sembrata un'ottima idea se non fosse che alla fine Lucia aveva aggiunto: «Meglio se l'operazione la fa il padre e non la madre. Il bambino capisce prima che non c'è latte».

Non ero molto felice di sentire che toccava a me ma ormai non provavo neanche più a evitare rotture. La cosa andava fatta, punto. Lo avrei abituato a dormire di notte e alla fine saremmo stati tutti più felici.

C'è voluta una settimana, si svegliava mediamente dalle quattro alle cinque volte a notte.

Quando lo sentivo mi alzavo e come uno zombie andavo da lui. Ero talmente addormentato che nel corridoio mi appoggiavo al muro. Non accendevo la luce perché non volevo svegliarlo del tutto, quindi infilavo una mano nel lettino e cercavo la testa, capivo più o meno dove fosse la bocca e gli davo il biberon, ma lui non lo voleva. Io insistevo e alla fine, dopo qualche minuto che mi era sembrato un'eternità, si rimetteva a dormire. A quel punto potevo tornare a letto.

Quando avevamo scelto quell'appartamento c'era

piaciuto tanto il pavimento in parquet nella sua stanza, rendeva tutto più caldo, accogliente e romantico. Ma il parquet cigola. Facevo tre passi, ero già vicino all'uscita, il legno faceva un piccolo *crack*, e Leo si svegliava. Una vera condanna. Nei mesi avevo imparato a capire dove scricchiolasse meno, conoscevo la mappa rumorosa del pavimento più di qualsiasi altra persona. C'era un punto particolarmente critico proprio vicino alla porta, a un passo dalla libertà. A volte per evitarlo dovevo allungare le gambe così tanto da fare una spaccata. Anche la porta aveva un punto in cui cigolava, bisognava stare attenti a non superarlo chiudendola.

Per lui quei piccoli rumori dovevano essere come un treno che sfreccia ad alta velocità. Oppure, come qualcuno sostiene, è un comportamento selezionato dall'evoluzione per la salvaguardia della specie: è più preoccupante un bastoncino che si rompe sotto il passo di un animale feroce in avvicinamento che il tuono di un temporale o l'esplosione di un vulcano a chilometri di distanza. Una volta, addirittura, si è svegliato perché mi è scrocchiato un ginocchio.

Quando riuscivo a lasciare la sua stanza e guadagnare il mio letto non sempre mi riaddormentavo subito. A volte ci mettevo anche un'ora e Leo sembrava essere stato tutto il tempo ad aspettarmi perché ricominciava a piangere e mi dovevo rialzare. Alla seconda notte ero già uno straccio da buttare.

Interrompere il sonno quattro, cinque volte era una vera tortura. Una piccola Guantanamo domestica.

Una notte nell'uscire dalla sua camera ho urtato in pieno la cassettiera con un piede. A parte il dolore, Leo ovviamente si è risvegliato. Avevo i nervi a mille. Ero stanco e dolorante.

Quando suonava la sveglia per andare al lavoro mi sembrava uno scherzo. Non era possibile che la notte fosse già passata, non ci potevo credere. Mi pareva di essermi appena addormentato.

Ero irritabile in quei giorni, desideravo prendermela con qualcuno, odiare qualcuno.

Invidiavo persone che prima nemmeno notavo, solo perché mi sembravano più libere. Andavo a bere il caffè al bar sotto l'ufficio, il barista, dopo un incidente in moto, zoppicava e aveva una brutta cicatrice sulla testa. Una mattina ho pensato che avrei fatto cambio persino con lui, sarei stato più felice che nella vita che stavo vivendo.

Non l'ho mai detto a nessuno ma quando Leo aveva circa otto mesi ho pensato di mollare tutto e andarmene. Di rinunciare.

Non che non amassi più Sofia, solo non ne valeva la pena, o forse non la amavo più, era difficile capirlo. I sacrifici e le rinunce e la stanchezza e la fatica non mi lasciavano il tempo di amarla e nemmeno di godere di quello che avevo. Le relazioni sono sempre in continuo cambiamento, cose nuove arrivano, altre se ne vanno. E se le cose che arrivano sono solo privazioni, mancanze, problemi, uno sente il desiderio di lasciare.

Pensavo che non fossi adatto a quel tipo di vita, ci avevo provato, ci avevo creduto ma mi ero sbagliato. Non avrei mai trovato la felicità, non sarei mai stato in grado di goderne. Mi sforzavo di far funzionare tutto, ma capivo che non ero tagliato. La vita di prima era fatta su misura per me. Perché avevo deciso di lasciare quel mondo per questo? Cosa speravo di trovare qui? Cosa mi mancava? La mia testa era piena di domande.

Non avrei abbandonato Sofia e Leo, avrei continuato a sostenerli economicamente, ma dovevo uscire da quella situazione.

Mi sentivo in colpa per ciò che provavo.

Mi stavo convincendo che ci eravamo sbagliati, che lei non era la donna che credevo fosse. Eravamo dentro una bolla di sapone e adesso la bolla era esplosa.

Ma non potevo lasciarla, non in quel momento. Avrei potuto farlo prima, quando non avevamo ancora un figlio. Iniziavo a pensare di essere incastrato e non potevo dare la colpa a nessuno. Era troppo tardi per tornare indietro. Forse sarei stato contento se lei si fosse innamorata improvvisamente di un altro. Se fosse stata lei a lasciarmi ci sarei stato male ma poi un giorno, almeno, sarei stato libero.

Stavo andando fuori di testa. Una sera sono uscito con Sergio, ormai vedevo quasi più lui di Mauro, il fatto che avesse una moglie e una figlia ci avvicinava.

Gli ho raccontato cosa provavo, non tutto, mi vergognavo: «Hai mai desiderato che lei si innamori di un altro? Che venga da te e ti dica che è finita? E tu invece di essere triste ti senti sollevato?».

«Quasi tutti i giorni, ma purtroppo una così non se la prende nessuno, ci voleva un coglione come me. Glielo dico sempre.»

«Perché le donne cambiano così tanto?»

«E tu non sei neanche sposato.»

«Fa differenza?»

«Non lo so, so solo che a due giorni dal matrimonio mi sono ritrovato nel letto una mantide religiosa.»

«Voleva mangiarti la testa dopo aver scopato?»

«Peggio, voleva mangiarmela mentre scopavamo.»

Ci siamo fermati davanti all'ingresso di un bar, prima di entrare mi ha chiesto: «Hai mai immaginato che possa morire?».

«In che senso?» La sua domanda mi aveva sorpreso.

«Non per mano tua ovviamente, un incidente e tu ti ritrovi solo, anzi, libero.»

«No, fino a lì non mi sono ancora spinto.»

«Io sì, l'ho pensato una volta. Ho pensato che avrei sofferto tantissimo ma che poi mi sarei rialzato, lo dovevo a mia figlia. Ho iniziato a immaginare che tutti sarebbero stati gentili, mi avrebbero in qualche modo voluto bene. Anche quelli che di solito parlano male di me. E le donne? Le donne sarebbero state così dispiaciute per il mio profondo dolore che in qualche modo avrebbero voluto alleviarlo. Magari scopandomi o meglio ancora scopandomi e facendomi delle grandi lavatrici.»

Abbiamo riso tutti e due, ma quelle parole mi sono tornate in mente più volte. Ho capito cosa intendesse Sergio e ho sperato di non arrivare mai a quel punto.

Una sera mentre guardavamo una puntata di «The Walking Dead» ho pensato di dirle che me ne volevo andare: «Come mai tra tutte le persone al mondo alla fine noi due? Perché ci siamo scelti quando è evidente che io non sono il tipo di uomo che tu sognavi e tu non sei la donna che volevo al mio fianco? Ci siamo sbagliati, adesso siamo incastrati ed è complicato lasciarci. Cosa ci è successo, Sofia?».

Mentre riflettevo sul discorso da farle lei ha interrotto i miei pensieri: «Pensavo di tagliarmi i capelli corti come lei, che dici?» mi ha detto indicandomi l'attrice sullo schermo.

«Dico che staresti benissimo.» Ho fatto una pausa e poi ho aggiunto: «A me piaci molto anche con i capelli lunghi».

«Ti piaccio ancora? Davvero?» mi ha detto sorpresa.

«Sempre.» Ha sorriso, si stava chiedendo se avessi

detto la verità, io mi stavo chiedendo se ero appena stato vigliacco o responsabile, ma soprattutto lo avevo detto a lei o a me stesso?

Ultimamente quando mettevo la nostra storia in discussione mi capitava di dirle «ti amo» più spesso, come se dovessi scacciare le paure e convincere me.

Mi spaventavo, sentivo una sorta di egoismo che non avevo mai provato nella vita, come spinto da un istinto di sopravvivenza.

La cosa che mi faceva più paura era che non mi importava di farla soffrire.

Se avessi voluto lasciarla avrei solo dovuto aspettare un po', portare pazienza, adesso non era il momento. Facevo i calcoli, pensavo a quale età quel mio gesto sarebbe stato meno dannoso e pericoloso per Leo. Pensavo a me single attorno ai cinquant'anni e cercavo di farmi venire in mente tutti gli uomini di quell'età che conoscevo per capire che vita facessero. Mi ripromettevo di tenermi in forma per essere uno splendido cinquantenne.

A salvarmi nel momento più critico è stato il pensiero di Leo. È stato lui a farmi rimanere, non l'amore per Sofia ma la responsabilità di padre. E alla fine, tutto è passato. Una forza che non sapevo nemmeno di avere mi ha tenuto lì, anche se aveva il sapore di sottomissione più che di una scelta. Come se accettare quella vita fosse un passaggio necessario.

E questo mi ha impedito di smettere di amarli, anche se mi costava rinunce. Ma ringrazio tutti i giorni per aver trovato quella misteriosa forza ed essere rimasto. Di tutto questo, Sofia non sa nulla.

Leo, alla fine, ha imparato a non svegliarsi più per mangiare, ma all'improvviso ha iniziato a gridare di notte, senza una vera ragione. Non si svegliava neppure, gridava mentre dormiva. Forse faceva brutti sogni.

Cercavo di tranquillizzarlo e gli mettevo una mano sul petto, sentivo il suo cuore battere velocemente. A volte lo prendevo e lo portavo a letto con noi.

Durante la notte si metteva in orizzontale tra me e Sofia, quasi sempre con la testa rivolta verso la madre, a me capitavano i suoi piedi in faccia. Non c'era spazio, tutto si sovrapponeva.

Prima dell'arrivo di Leo ci piaceva l'idea di avere almeno tre figli. Non ne abbiamo mai più parlato, non c'era stato nemmeno bisogno di dircelo, ma era chiaro a tutti e due che con un altro figlio non avremmo retto. Saremmo scoppiati. Leo ci aveva fatto capire che non eravamo forti come credevamo. Ricordo un giorno, in ufficio dopo una notte praticamente insonne, non riuscivo in nessun modo a far partire il cervello, non connetteva. Avevo preso l'ennesimo caffè, ma continuavo a essere stanco, e mi era venuta la tachicardia per via della troppa caffeina. Dalla mia finestra si vedeva l'inverno, il cielo scuro e il vento che spingeva la pioggia contro il vetro. Una di quelle giornate da starsene a letto tutto il giorno.

Guardavo il divano all'ingresso e sognavo di buttarmici sopra e sprofondare in un sonno infinito.

Ero stordito dalla stanchezza, mi sono alzato e sono andato in bagno. Ho chiuso la porta, ho abbassato il coperchio del water e mi sono seduto. Ho appoggiato la testa al muro e credo di aver dormito una decina di minuti, non di più, ma in una maniera così profonda che ho anche sognato. Mi sono riposato di più in quei dieci minuti che in tutte le notti precedenti.

Diciotto

Stavo aspettando Sergio per un pranzo veloce prima di tornare in ufficio. Davanti al ristorante qualcuno aveva parcheggiato la macchina in seconda fila, lasciando le quattro frecce accese. Le automobili riuscivano a passare, l'unico errore che aveva fatto il proprietario era stato non aver calcolato che in quella strada circolavano anche i mezzi pubblici.

L'autista dell'autobus aveva aperto le porte ed era sceso a guardare l'auto che bloccava il passaggio. Si era formata una piccola coda e qualcuno già suonava il clacson.

In quelle situazioni simpatizzo sempre con chi ha parcheggiato in seconda fila, aspetto per vedere che faccia ha.

«Il solito genio» ha detto Sergio spuntando alle mie spalle.

«Quando torna lo lapidano.»

«Se lo meriterebbe. Ci sono delle persone che hanno frainteso a cosa servono le quattro frecce.»

Ci siamo seduti a tavola e quando è arrivato il cameriere, senza neanche aver guardato il menu, Sergio gli ha detto: «Senta, guardi, sono a dieta, vorrei che mi portasse delle verdure cotte o alla piastra».

«Mi spiace, non abbiamo verdure cotte e nemmeno alla piastra. Al massimo ho delle patate al forno.»

Sergio ci ha pensato un attimo e poi ha detto: «Niente patate, lasagne ne avete?».

«Cazzo, che resistenza e che determinazione nella tua dieta» gli ho detto sorridendo.

Rivolto a entrambi lui ha puntualizzato: «Avete visto tutti e due come è andata, io ci ho provato, poi se loro non hanno le verdure cosa posso fare? Andare in cucina a farmele da solo? Vorrà dire che questa sera non ceno». Poi guardando il cameriere ha aggiunto: «Mi faccia una porzione abbondante perché mangio solo questo».

«Due lasagne, le prendo anche io, e del vino rosso.»

Il cameriere si è allontanato divertito.

«Ho chiesto a Mauro se voleva passare, ma non poteva» ha detto Sergio aprendo un pacchetto di grissini.

«L'ho sentito anche io questa mattina, mi ha tenuto al telefono mezzora. Era di buon umore.» Mi sono guardato intorno, le persone sembravano avere una vita. «Forse abbiamo sbagliato tutto io e te.»

«Io di sicuro, non so tu.»

«Mauro è sempre allegro, di buon umore, non c'ha un cazzo a cui pensare. Non ha rotture di scatole, fa quello che gli pare.»

«Cosa vuoi che faccia? Mica può farsi vedere triste o pensieroso, non vedi che è schiavo di se stesso, del suo personaggio? Deve essere per forza di buon umore. Il giorno che non lo è, tutto il suo teatrino crolla.»

«Dici?»

«Deve sempre tenere le persone distanti, deve essere distaccato.»

Forse Sergio aveva ragione.

«Non riesce a rinunciare alle sue comodità e più passa il tempo, più diventa difficile. La settimana scorsa siamo andati al cinema e ha voluto sedersi nell'ultima fila per poter messaggiare col cellulare.»

«Sai che adesso quando viaggia per lavoro si porta da casa le federe? Dice che con quelle dell'hotel non riesce a prendere sonno.»

Abbiamo riso.

«Come va con Lucia?»

«Non lo so, non ci capisco più niente, mi sembra che tutto sia al posto giusto tranne me.»

«Se ti può consolare succede anche a me.»

«Non sono più neanche tanto sicuro di conoscerla, a volte la guardo e mi sembra un'estranea. Mi chiedo: *Chi è la persona che ho davanti?*»

«Siamo messi tutti così? Incredibile.»

«L'altro giorno pensavo a quando nostra figlia se ne andrà di casa, ho fatto un calcolo approssimativo e dovrebbe accadere tra una quindicina d'anni. Quando io e Lucia ci ritroveremo a guardarci avremo ancora qualcosa da dirci?»

«Quello che spaventa me non è tanto il futuro, ma una sorta di rimpianto per alcune donne con cui sono stato. Forse avrei potuto avere una vita migliore con qualcuna di loro. Se anche con Sofia ho delle rotture di scatole allora tanto valeva rimanere con le altre.»

«Io non me ne ricordo una con cui avresti potuto vivere una vita migliore e le ho conosciute praticamente tutte.»

«A volte mi viene da pensare che ho sbagliato a scegliere.»

«Le persone che si amano non sono mai una scelta.»

«Dici?»

«Forse delle tue ex Paola ti amava davvero.»

«Credo sia stata la donna che mi ha amato di più.»

«Anche più di Sofia?»

«Secondo me sì, però Sofia mi ha amato meglio. Di sicuro all'inizio, adesso è un casino.»

«Tu almeno prima hai fatto un sacco di cose, hai viaggiato, hai avuto donne, ti sei divertito. Quelli come me che si sono sposati subito hanno la sensazione di non aver fatto al momento giusto le cose che andavano fatte, e adesso è troppo tardi. E ti assicuro che è una sensazione pesante con cui fare i conti.»

In questo Sergio aveva ragione, quante volte nei momenti difficili pensavo a tutto quello che avevo fatto e in qualche modo mi consolavo.

«A volte penso che ero così felice da solo» ho detto riempiendo il suo bicchiere e il mio.

Abbiamo brindato e poi c'è stato un lungo silenzio.

Il cameriere si è avvicinato con le lasagne, avevo così tanta fame che mi è venuta l'acquolina. Peccato che poi non si sia fermato al nostro tavolo ma abbia proseguito verso il fondo del locale.

Sergio ha appoggiato il bicchiere e mi ha detto: «Secondo me tutti ci raccontiamo la storia che eravamo più felici una volta ma non è vero. Siamo sempre stati così».

«Forse hai ragione tu.»

Abbiamo parlato d'altro, durante il caffè mi è tornata in mente Paola.

«Sai che la settimana scorsa ho incontrato il padre di Paola? Te lo ricordi?»

«Certo, mi ricordo la grigliata di carne a casa sua in campagna. Quando siamo andati via era così ubriaco che stava dormendo in giardino. Come se la passa?»

«Bene. Ero un po' in imbarazzo, non sapevo che reazione aspettarmi da lui, in fondo sono quello che ha lasciato sua figlia. Sai che è un tipo particolare, capace di fare una scenata davanti a tutti, ed eravamo in una libreria in centro.»

«Cosa ti ha detto? "Ti aspetto fuori"?»

«Mi ha abbracciato come un vecchio amico. Mi ha chiesto come stavo e poi le solite parole di circostanza, ma in modo molto amichevole. Alla fine mi ha detto: "Hai fatto bene a lasciare mia figlia, è una stronza a livelli galattici. Non so come mai ci è uscita una figlia così. Buon per te che ti sei sfilato".»

Sergio è scoppiato a ridere: «Grande! Avresti dovuto rimanere con Paola solo per lui, sai che pranzi la domenica con un suocero così».

«Solo che non me l'aspettavo e mi sono fatto prendere la mano. Sai cosa gli ho detto?»

«Che sua figlia era una grande scopata?»

«Gli ho detto: "Magari un giorno di questi usciamo insieme a bere una cosa". Lui è rimasto in silenzio un secondo poi mi ha dato un buffetto sulla guancia: "Non esageriamo, mia figlia è una stronza ma è pur sempre mia figlia. Ciao Nicola, fai il bravo".»

Diciannove

Sofia doveva tornare a lavorare il prima possibile, fare solo la mamma la stava facendo impazzire e di conseguenza faceva impazzire me.

Dopo l'estate, aveva cercato di capire che tipo di possibilità avesse tornando a lavorare, e al momento lo show-room sembrava l'unica opzione.

Un giorno, mentre davo da mangiare a Leo, lei girava per casa come un animale in gabbia: «A volte penso tu sia convinto che qui ci sia una donna invisibile che fa le faccende di casa».

Ho capito che era meglio tacere e incassare.

«Mi spieghi perché quando ti spogli devi seminare le cose come Pollicino? Prima in bagno c'erano le tue mutande vicino alla cesta, vorrei capire cosa ti costa aprirla e buttarle dentro. Mi sembra di avere due bambini in casa, non uno.»

Aveva ragione, non ci facevo caso. Quando abitavo da solo c'era un giorno in cui raccoglievo tutto, di solito se veniva qualcuno in casa.

Erano vecchie abitudini, ma capivo che potevano dare fastidio. A volte Sofia non raccoglieva le mie cose di proposito, per vedere quanti giorni passavano prima che io le mettessi a posto. Io nemmeno le vedevo, e finiva che lo faceva lei, perché non riusciva più a sopportarne la vista. «Scusa, hai ragione» ho detto. Sentivo che non bastava, non si era calmata affatto, voleva lo scontro.

Leo, intanto, non aveva troppa voglia di mangiare, al secondo boccone che ha rifiutato ho iniziato a mangiare un po' della sua cena per velocizzare la procedura. Quando ho capito che non avrebbe mangiato più ho finito il piatto.

«Dov'è il resto?»

«L'ho mangiato io, non lo voleva più.»

«Quante volte ti ho detto di non mangiare le sue cose? Magari tra un po' lo vuole. La casa è piena di roba da mangiare, perché devi mangiare la sua?»

Ho capito che l'unica via d'uscita era il bagno. Ho preso il telefono senza che lei mi vedesse e mi sono chiuso dentro. Seduto sulla tazza ho aperto le mie finestre sul mondo: Facebook, Twitter, Instagram, Pinterest, YouTube.

Mi è arrivato un messaggio: *Quando hai finito la vacanza puoi tornare di qua? Leo deve andare a dormire.*

Sofia sembrava turbata da qualcosa di nuovo, la sua voglia di litigare con me non aveva a che fare con il lavoro o il mio disordine, sentivo che c'era qualcosa di più.

Ultimamente mi attaccava nel tentativo di provocare in me una reazione, come a voler scoprire se fossi ancora vivo. Il fatto che fossi tranquillo, che dicessi solo «Scusa, hai ragione» le faceva pensare che non mi importasse più nulla di noi. Confondeva la mia tranquillità con indifferenza.

Parlavo sempre meno, anche perché tanto alla fine si faceva sempre come voleva lei. Un giorno mi ha detto: «Mi sembravi diverso dagli altri uomini e invece non lo sei affatto, sei come mio padre, non ti importa nulla della tua famiglia, ti importa solo del lavoro, degli amici e ogni tanto di tuo figlio. Io sono diventata trasparente».

«Ma se non faccio più niente nella vita? Lavoro e torno a casa. Questo mese sarò uscito sì e no tre volte. Cosa vuoi di più?»

«Ti vorrei più presente, più attento, più partecipe. A volte sembra che non ti va più di stare qui, che non mi sopporti. Lo sento che vorresti essere da un'altra parte.»

Non sapevo se rispondere o lasciar perdere. La discussione era solo all'inizio, la punta dell'iceberg. Quella volta ho lasciato perdere.

Ho tirato lo sciacquone per farle credere di aver usato il bagno. Senza guardarla sono andato dritto a prendere Leo per prepararlo per la notte. La serata girava storta, Leo non ne voleva sapere, non si faceva cambiare, scalciava e urlava.

«Faccio io.» Sofia mi ha preso il bambino dalle mani. Nessuno è mai riuscito a farmi sentire così incapace. Ma anche tra le sue braccia Leo non ha smesso di gridare e dimenarsi. Ora eravamo pari.

Ci ha messo un'ora a addormentarlo. Mi sono seduto sul divano a guardare la TV.

Fino a quel punto della nostra storia eravamo sempre stati bravi a litigare. Rimanevamo sull'argomento senza tirare fuori vecchie storie. Non tenevamo il broncio, non sminuivamo l'altro, non lo screditavamo, non lo ridicolizzavamo. Niente ripicche e dispetti.

Uscita dalla stanza di Leo, Sofia si è diretta in cucina e ha cominciato a svuotare la lavastoviglie in un modo eccessivamente energico.

«Lo faccio io dopo.»

Non ha risposto e ha continuato a sistemare. L'ho raggiunta per darle una mano.

«Lascia stare, faccio da sola.»

Ho perso un po' della mia apparente tranquillità: «Si può sapere cosa ti ho fatto?».

«Non ci arrivi da solo?»

L'ho guardata con un punto interrogativo sulla faccia.

Ha appoggiato le posate sul tavolo e mi ha fissato dritto negli occhi: «Dimmi la verità, se non ci fosse Leo te ne saresti già andato».

Mi ha preso alla sprovvista: «Ma cosa dici? Sei una paranoica».

«Non hai le palle per essere sincero.»

Sono rimasto in silenzio.

«Forse non ne sei nemmeno capace, sei sempre quello che si è scopato la ragazza in Grecia mentre faceva il romantico con me.»

Erano le parole giuste per farmi perdere definitivamente la pazienza.

«Ancora con questa storia? Hai rotto le palle. Sai cosa penso? Mi provochi nella speranza che me ne vada davvero, così la decisione l'ho presa io, ma sei tu quella che non vuole più stare qui. Puoi anche dirmelo se è questo che vuoi.»

«Non sei la persona che credevo.»

«Nemmeno tu, ho investito sulla persona che non sei.»

Sapevo di averla ferita. Eravamo in una zona pericolosa, al confine. Rischiavamo di arrivare alle parole che non possono essere dette, da cui non si torna indietro. C'eravamo appena confessati che eravamo delusi di noi, che l'altro non era la persona che credevamo fosse.

In casa regnava il silenzio, sono tornato sul divano, lei è rimasta in cucina. Ognuno doveva elaborare le parole dette, sistemarle, ragionare.

Mi sono chiesto cosa stesse provando.

Ho immaginato di alzarmi, prendere la giacca e uscire, salire in macchina e guidare ininterrottamente fino a dove finiva il mondo. Senza voltarmi indietro.

Poi sono tornato alla realtà, l'ho raggiunta in cucina. All'improvviso era come se avessi avuto paura delle mie fantasie, non volevo stare bene altrove, volevo stare bene con lei. Ho avuto il desiderio di abbracciarla, avevo bisogno di un rifugio, qualcosa di concreto come il suo corpo a cui aggrapparmi per scacciare quei pensieri.

Volevo avere la certezza che c'eravamo ancora, che eravamo forti. In quel momento ho avuto il desiderio di fare l'amore.

Mi sono avvicinato con l'intenzione di stringerla, buttarla sul tavolo e prenderla. Le ho afferrato una mano. Lei mi ha detto: «Lasciami in pace, non è il momento», e mi è scivolata via dalle dita.

È uscita dalla cucina, e mi sono sentito veramente solo.

Venti

Mentre tornavo a casa dal lavoro ripensavo a come mi ero comportato durante la riunione operativa. Quando il capo aveva chiesto chi ci sarebbe stato per la fiera di Berlino senza nemmeno accorgermene avevo alzato la mano.

«Nicola, pensavo che volessi stare a casa per via del bambino.» L'avevo presa come una sottile provocazione. Non volevo che mio figlio fosse un ostacolo alle mie cose e poi mi sembrava un'ottima occasione per cambiare aria.

«No, è una cosa importante. Ci vado volentieri.»

Ora si trattava di dirlo a Sofia, ma avevo tempo.

Un messaggio ha interrotto i miei pensieri: *Ciao, ho saputo da mio padre che vi siete visti, mi ha detto che ti ha trovato in forma. Stai bene?*

Con Paola non ci sentivamo da anni.

Stavo per risponderle ma poi mi sono fermato, volevo pensare a cosa scrivere.

Il suo sembrava un messaggio innocuo, ma come diceva sempre Mauro: «A noi sembrano semplici parole, ma dietro c'è un mondo che non vediamo».

Ho deciso di aspettare.

Quella sera Leo mi ha fatto impazzire, amava fare il bagno ma odiava essere asciugato. Dopo un secondo che lo avevo avvolto nel suo asciugamano, già gattonava per casa nudo e ancora bagnato. Non avevo tempo per inseguirlo, dopo cena sarei dovuto andare da Mauro.

L'ho preso di forza e l'ho messo sul fasciatoio per infilargli il pannolino e il pigiama.

Scalciava e gridava come un matto, senza nemmeno rendermene conto ho alzato la voce: «Basta! Smettila».

Era la prima volta che mi capitava. Mi ero sempre ripromesso che non avrei mai alzato la voce con lui.

Quando l'ho messo a terra ho anche sbuffato. Sofia dice che sbuffo sempre, è una cosa di me che la infastidisce. Io nemmeno me ne accorgo.

Mi sono sentito subito in colpa, ho provato un dolore.

«Vuoi una mano?» mi ha chiesto Sofia, comparendo sulla porta.

«No, ho fatto. Scusa, ho alzato la voce.»

«Succede anche a me.»

Perdere il controllo non mi è mai piaciuto, soprattutto di fronte a lei. È un atto di debolezza che mi mortifica.

«Nicola, tu vai, lo metto a letto io.» Era stata gentile a offrirsi, ma mettere a letto Leo era diventato un momento solo nostro. Un modo per fargli sentire che ci sono, per creare un rapporto intimo.

Lo tenevo in braccio, lo cullavo, gli canticchiavo una canzone a voce bassa. Quando vedevo che si stava rilassando ed era pronto lo adagiavo nel lettino.

Era un'operazione delicata, non mi dovevo far prendere dalla fretta altrimenti si svegliava.

Di solito mi ci voleva mezzora, quella sera ci ho messo quasi il doppio.

Quando sono entrato a casa di Mauro, stava aprendo una bottiglia di rosso. Me ne ha versato un bicchiere e l'ho bevuto tutto in un sorso. Poi ho allungato il braccio per averne un altro.

«Ti trovo bene» mi ha detto ironicamente.

«Porca troia, Leo mi ha tirato scemo.»

Ho preso la bottiglia e ci siamo seduti.

«Sarà un mese che non ci vediamo.»

«Più o meno.»

«A parte tuo figlio che non vuole farti uscire la sera, come stai?»

«Mi sento come una quercia dentro una noce.»

Mauro ha sorriso: «Non avevo mai sentito questa espressione».

«Oggi in ufficio mi sono offerto di andare a Berlino per la fiera» gli ho detto sorridendo.

«Sofia è contenta?»

«Non lo sa ancora.»

«Vedo un temporale all'orizzonte.»

«Ho pensato di dirle che non potevo tirarmi indietro. Sono uno stronzo?»

«Certo. La sopravvivenza prima di tutto.»

«Allora perché mi sento in colpa?»

Mauro ha sorriso e ha versato un altro bicchiere.

«Sai cosa mi ha detto l'altro giorno Sofia?» ho continuato.

«Cosa?»

«Che vorrei essere da un'altra parte e resto con lei soltanto perché abbiamo un figlio.»

«Ed è vero?»

«Non lo so, so solo che alla fine non ha voluto scopare.»

Mauro si è alzato ed è andato al frigorifero, ha bevuto un sorso d'acqua frizzante poi dopo aver cercato di soffocare un rutto ha detto: «È vero che vorresti essere da un'altra parte?».

«A volte sì. A volte non la sopporto. Cosa ci siamo fatti a vicenda?»

«Vi siete messi insieme» ha detto Mauro ridendo.

«Mi sa che hai ragione. Forse è meglio stare da soli.»

«Sai cosa pensavo l'altro giorno? Se dovessi morire in casa quanto tempo ci vorrebbe prima che qualcuno mi trovi? Se tu o Sergio mi chiamate e non vi rispondo non è che vi stupite, al limite mi richiamate il giorno dopo. Mia madre uguale. Forse sarebbero i colleghi i primi a insospettirsi.»

«Che bei pensieri. Non hai proprio un cazzo a cui pensare.» Mi sono alzato e ho preso un pezzo di cioccolata dal tavolo. «Dove l'hai comprata? È buonissima.»

«Me l'ha portata mio fratello da Torino. Se vuoi ce n'è ancora, è nel mobiletto accanto al frigorifero.»

Mentre cercavo la cioccolata mi è tornato in mente il messaggio di Paola.

«Sai chi mi ha scritto oggi? Paola.»

Mauro ha recitato una risata: «Che dice? Vuole rivederti?».

«Vuole sapere come sto. Che faccio, rispondo?»

«Dipende.»

«Ho paura che interpreti male.»

«La domanda che dobbiamo farci è perché ha sentito la necessità di scriverti.»

«Potrebbe essere un messaggio disinteressato e spontaneo.»

«Spontaneo? Sono donne, le donne non sono mica gente.»

È una sua frase ricorrente, la trovo irresistibile. Poi ha continuato: «Io non risponderei. È un gioco pericoloso. Soprattutto dopo quello che mi hai appena raccontato di Sofia».

Ho guardato Mauro e ho detto: «Cazzo, ma quanto è buona 'sta cioccolata, cosa c'è dentro? Cosa sono queste cose rosse?».

«Bacche di goji.»

«Di chi?»

«Sono antiossidanti naturali, contrastano l'invecchiamento, non vedi che sembro un ventenne?»

Ho fatto un'alzata di sopracciglia. «La cosa che non capisco di Sofia...»

«Ancora lì sei? Pensavo avessimo chiuso la pratica.»

«Hai ragione, sono una palla.»

Ho preso il bicchiere e in un sorso solo ho finito quello che era rimasto. Avrei voluto ubriacarmi, ultimamente lo desideravo spesso.

«È solo che prima mi sentivo il suo eroe, tutto quello che dicevo e facevo andava bene, ora sembra che non vada più bene niente. Da Superman a Clark Kent in pochi mesi.»

Sulla strada di casa ero un po' brillo, ho iniziato a pensare al periodo con Paola, al nostro lunghissimo viaggio in Thailandia, ho avvertito una leggera nostalgia. Le serate in mansarda ascoltando Sade, il colore ambrato della sua pelle, il seno piccolo che finiva a punta. Ero invaso dalle immagini della nostra storia. La mia vita con lei mi sembrava meno complicata. Dopo tanti anni mi lusingava che Paola avesse ancora un pensiero per me.

Ho rigirato il telefono tra le mani, non era facile trovare il tono e le parole giuste. Non volevo essere troppo freddo e distaccato, ma nemmeno farle pensare cose strane. Ho cancellato i tentativi di messaggi e l'ho chiamata direttamente.

Dopo qualche squillo mi ha risposto, non sentivo la sua voce da anni.

«Ti è partita la chiamata?»

Ho riso. «No. Tornando a casa ho riletto il tuo messaggio e ho pensato che era più semplice chiamarti. Come stai?»

«Bene, tu?»

«Bene. Sono appena stato da Mauro e mi sono ricordato che non ti avevo risposto.»

«Pensavo ti fossi infastidito.»

«Ma sei matta, figurati. Mi ha fatto piacere vedere tuo padre, è sempre in forma.»

«Chi lo ammazza quello. L'altro giorno ha detto che si vuole comprare una moto.»

Ho sorriso nel sentire quelle parole.

«Ma dimmi di te, sei diventato papà, sei contento? Dài racconta.»

«È bellissimo» ho risposto in maniera automatica.

«Come si chiama?»

«Leo.»

C'è stato un silenzio. Dire il nome di mio figlio è stato come svegliarsi da un'ipnosi. Un enorme senso di colpa mi ha invaso. Mi sono sentito a disagio. Ho cercato di tagliare corto.

«Comunque ti ho chiamata per farti un saluto e ringraziarti del messaggio. Ora devo andare. Sono arrivato.»

«Mi ha fatto piacere sentirti. Ciao, Nicola.»

La telefonata con Paola si era portata via tutta la nostalgia per le cose vissute insieme, era chiaro che ora eravamo due persone diverse, lontane anni luce l'una dall'altra.

Ventuno

Quando Leo si svegliava molto presto e noi eravamo troppo stanchi per alzarci, lo portavamo a letto e gli davamo il mio telefono con dei video ripetuti in continuazione a volume basso per regalarci qualche minuto in più di sonno.

Ci eravamo sempre ripromessi che non lo avremmo fatto, alla fine abbiamo ceduto, soprattutto il sabato e la domenica, giorni in cui avrei potuto dormire all'infinito. Per evitare che chissà come inviasse messaggi o chiamasse qualcuno mettevo il telefono in modalità aereo. Con gli occhi chiusi sentivamo l'audio dei video fino a quando Sofia prendeva Leo e lo portava in cucina.

Forse per il suo primo compleanno avevo sbagliato tutto: gli dovevo regalare un telefonino o un iPad, non quelle costruzioni in legno che non usava mai.

Durante la settimana, appena si svegliava, mi occupavo io di lui, lasciavo che Sofia riposasse un po' di più.

Gli cambiavo il pannolino, gli preparavo la colazione, gli davo da mangiare.

Se dovevo andare in bagno lo portavo con me.

Non riuscivo a stare solo nemmeno lì, non c'era più un angolo della mia vita dove potevo essere solo.

Sul cesso controllavo le mail, guardavo le news e i

social network, lui giocava con la cesta delle cose sporche o con qualcosa che lanciavo nella lavatrice. Era un gioco che amava, apriva l'oblò e c'infilava dentro la testa alla ricerca di un tesoro.

Da quando aveva iniziato a camminare le cose erano cambiate. Per esempio era impossibile mangiare senza doversi alzare mille volte. Toccava tutto quello che non poteva. Gli oggetti delicati e pericolosi avevano guadagnato le mensole più in alto.

Una sera mentre tornavo a tavola, dopo aver tolto le forbici dalle mani di Leo, Sofia mi ha detto: «Ho sentito Elisabetta, domenica viene a Milano per un pranzo io e lei. Che dici? Te la senti di stare solo con Leo?».

«Certo.»

Ogni volta che Sofia mi chiedeva se per me andava bene che lei uscisse non dicevo mai di no.

Domenica mattina verso le undici Elisabetta era da noi.

«Sei sicuro che ce la fai?» mi ha chiesto Sofia dandomi Leo in braccio.

«Vai, divertiti.»

«Ricordati di scaldargli il pranzo, e di cambiargli il pannolino prima di metterlo a letto.»

«Rilassati e goditi queste ore.»

«Se quando si sveglia non sono ancora a casa e ha fame puoi dargli una banana.»

«Va bene.»

Sofia ha finito di prepararsi e sono uscite.

Sulla porta di casa ho detto a Elisabetta: «Grazie, riportamela ubriaca».

«Ci penso io.»

Quando Leo ha visto la mamma uscire è scoppiato a piangere ma è durato poco, il tempo di chiudere la porta e portarlo sul divano.

Il mio progetto era metterlo a terra con i suoi giochi e lavorare al computer.

Ma lui non voleva giocare da solo e allora mi sono seduto con lui.

Ogni tanto mi annoiavo, controllavo il telefono, guardavo le foto su Instagram e mi deprimevo. C'era tutto un mondo là fuori pieno di feste, viaggi, incontri, avvenimenti. Il sabato sera glorioso di un sacco di gente era lì sotto i miei occhi.

Leo già reclamava la mia attenzione. Sono tornato a giocare con lui, ho preso il gattino di peluche e fingevo che volesse morderlo, ma non era molto interessato. Ha sempre preferito gli oggetti di casa ai giocattoli. Allora l'ho vestito e siamo andati a fare la spesa.

La strada verso il supermercato era piena di cose che lo incuriosivano, si fermava in continuazione, cambiava direzione, voleva attraversare la strada. Mi sono maledetto per non aver portato il passeggino.

Allora l'ho sollevato di peso e lui si è messo a piangere e a dimenarsi, inarcava la schiena e si buttava indietro.

Arrivati al supermercato dovevo fare la spesa e controllare che non distruggesse tutto.

Una volta alla cassa non voleva darmi il pacco del caffè, gliel'ho strappato dalle mani e ha iniziato a piangere, urlava e gridava come se gli avessi staccato un orecchio.

Durante il tragitto verso casa non aveva più voglia di camminare e voleva che lo prendessi in braccio, avevo quattro sacchetti della spesa, ho dovuto caricarlo su un braccio. Sono entrato in casa che non sentivo più le dita delle mani, oltre al fatto che per salvare il pianeta i sacchetti di plastica del supermercato sono ormai diventati trasparenti, se li fissi con uno sguardo intenso si squagliano. Uno mi si era rotto in ascensore.

Mentre sistemavo la spesa, Leo girava per casa con la scopa, un altro oggetto che lo appassionava alla follia.

Ho deciso di dargli da mangiare, così gli ho scaldato il pranzo e l'ho fatto sedere nel seggiolone. Dallo svezzamento Sofia gli dava molte verdure centrifugate. Mentre lo facevo mangiare, per ben due volte ha intercettato col braccio il cucchiaio che gli portavo alla bocca facendo finire la poltiglia verde ovunque.

Ho pulito il cibo sparso qua e là e quando sono tornato a dargli da mangiare non ne voleva più. Voleva scendere dalla sedia. Ho insistito un po' ma non c'è stato nulla da fare. Allora l'ho preso e l'ho messo a terra, ma aveva mangiato poco. A volte smetteva di mangiare semplicemente perché era annoiato e bisognava distrarlo con qualcosa, un gioco, dei suoni con la bocca, un libro, un video. Quindi mi sono messo a inseguirlo per casa con il piatto e il cucchiaino.

Dopo un po' mi sono arreso e gli ho dato dei cracker, li ha sgranocchiati sbriciolando per tutta la casa.

Poi gli ho cambiato il pannolino e gli ho infilato il pigiama.

Quando ho lasciato la sua stanza e ho chiuso la porta ero l'uomo più felice del pianeta. Ho alzato le braccia al cielo come se avessi vinto la Coppa dei Campioni.

La casa era un disastro, sembrava fosse esplosa una bomba. Mi sono messo a caricare la lavastoviglie, ho spostato le cose mille volte, cercato mille opzioni per farci stare tutto, non avevo voglia di lavare a mano neanche un cucchiaino.

Mentre spingevo una tazzina sotto una scodella rischiando di romperla, un pensiero mi ha attraversato la mente: mio padre non aveva mai caricato la lavastoviglie. Usciva di casa per andare a lavorare e tornava la sera, non cucinava, non lavava, non sparecchiava né tantomeno caricava la lavastoviglie. Erano cose che faceva mia madre.

Non spingeva nemmeno la carrozzina quando uscivamo insieme, e sicuramente non aveva mai cambiato un pannolino in vita sua.

In casa mia era netta la linea che separava i ruoli. «Matrimonio» viene dalla parola «madre», «patrimonio» da «padre». Il padre lavora e guadagna i soldi, la madre si occupa della casa e dei figli.

Nel momento in cui le donne hanno iniziato a occuparsi anche del patrimonio, le cose si sono mescolate, si sono confuse.

Io devo essere competitivo al lavoro e presente nelle faccende domestiche. Tutto si fa insieme, anche nella gravidanza. Quando sono nato mio padre era al lavoro, è venuto a vedermi la sera, oggi un uomo che non entra in sala parto sembra poco coinvolto e disinteressato.

La cosa assurda è che mi piace partecipare al «matrimonio» e occuparmi di Leo. Non mi piace l'idea che lui sia solo della mamma, per questo cerco sempre di tornare a casa in tempo prima che lui vada a letto. Anche se a volte è faticoso e ho poche forze mi piace fargli il bagno, mettergli il pigiama e farlo addormentare. Voglio costruire un rapporto fatto di cose insieme.

Mentre pensavo a tutto questo ho raccolto i giocattoli sparsi per casa e li ho messi nella cesta. Ero stravolto. Ho sentito dei rumori dalla stanza di Leo, probabilmente si stava già svegliando, a volte faceva così. Sono andato da lui, gli ho poggiato una mano sulla schiena e sussurrato delle parole a caso. Si è riaddormentato poco dopo.

Sono rimasto con lui qualche minuto, avevo paura

che si svegliasse di nuovo. Avevo ancora troppe cose da fare.

Lo guardavo dormire, mi dispiaceva che mio padre non avesse fatto in tempo a conoscerlo. Il nonno per lui sarebbe stato solo un nome, il protagonista di alcune storie.

Mi sarebbe piaciuto vederli insieme, passeggiare con loro. Lo vorrei qui adesso, so che sarebbe in grado di aiutarmi, gli chiederei se anche lui ha avuto le mie stesse paure. E poi mi è venuto in mente: che ricordo avrà Leo di me? Che padre sarò nei suoi racconti quando non ci sarò più? Quale sarà l'errore più grande che farò?

Sono tornato in sala e ho lavorato un po' al computer, dopo meno di un'ora Leo si è svegliato. «No, di già», e sono andato a prenderlo. Da settimane avevo mal di schiena, per prenderlo dal lettino mi dovevo piegare sulle ginocchia senza caricare il peso sulla schiena. L'ho portato con me sul divano.

Dopo qualche minuto ho iniziato a sentire puzza: «Vieni che ti cambio il pannolino, mi sa che sei pieno».

Era sporco fino a metà schiena, la cacca era uscita dal pannolino e aveva macchiato la maglietta e i pantaloni del pigiama. L'ho cambiato e ho buttato tutto nella lavatrice.

Poi siamo tornati in sala e ci siamo messi a giocare per terra. Non riuscivo a trovare una posizione comoda, alla fine mi sono arreso e mi sono conquistato il divano.

Leo ha iniziato a girare per casa, dopo qualche minuto ho sentito uno strano silenzio. L'ho chiamato, non rispondeva. Mi sono spaventato. Sono corso nell'altra stanza, aveva svuotato tutti i cassetti miei e di sua madre. Era per terra ricoperto di magliette, calze, mutande. È una cosa che faceva spesso. Ho ripiegato tutto e ho sistemato il disastro, tranne una maglietta che non voleva ridarmi: sentirlo gridare era l'ultima cosa che desideravo in quel momento.

Non ero riuscito a fare nulla di quello che volevo, in compenso ero stravolto come se avessi fatto otto ore di cantiere.

Ho pensato a Sofia che viveva così da più di un anno, in trincea. A me era bastata quella domenica per non poterne più. Non ce l'avrei fatta nemmeno tre giorni di fila.

La lavastoviglie aveva finito il suo ciclo, quando Leo ha sentito che la aprivo è arrivato subito. La lavastoviglie per lui è una delle cose più affascinanti al mondo. Prende posate, piatti, bicchieri e a volte me li passa. Poi cerca di salire sullo sportello aperto.

«No, fermo, così la rompi. No, metti giù il coltello, è pericoloso. Col-tel-lo, no!»

Fortuna che ho il lavoro, mi sono detto.

Verso le cinque Sofia e Elisabetta sono tornate.

«Ha mangiato?»

«Sì. Anche la banana quando si è svegliato.»

«Ha fatto la cacca?»

«Sì, era pieno, l'ho dovuto cambiare tutto. Ciao comunque» le ho detto con tono ironico.

«Sì, scusa, non ti ho neanche salutato.» Si è avvicinata e mi ha dato un bacio veloce sulle labbra. Poi mi ha chiesto: «È stato difficile?».

Me l'ha chiesto come se aspettasse una conferma di quello che già sapeva, e una piccola soddisfazione.

Non ho risposto subito, mi sono preso qualche secondo poi le ho detto: «No, normale». Ho aggiunto: «Ci siamo anche divertiti».

Ventidue

La domenica successiva tornavamo a casa dopo il pranzo dai genitori di Sofia, in auto Leo dormiva. Io e lei stavamo in silenzio, la domenica pomeriggio mi mette sempre malinconia.

Davanti a noi un'auto trainava un carrello con due moto da cross sporche di fango.

La domenica è la giornata dell'hobbista: cavalli, moto, biciclette, canoe, barche, go kart, auto d'epoca.

Ognuno tenta di sopravvivere alla propria vita come può. Piccole strategie di evasione.

Nei giorni precedenti avevo provato e riprovato il discorso con cui avrei detto a Sofia di Berlino, ogni volta cambiavo sempre qualcosa.

Ero un po' agitato e mi sono sentito un uomo piccolo, com'era possibile che fossi arrivato a quel punto?

Mi sono guardato nello specchietto retrovisore, mi sarei voluto insultare a voce alta invece mi è uscito: «Tra un paio di settimane devo andare a Berlino per lavoro».

Le mie parole l'hanno strappata ai suoi pensieri, mi ha guardato stupita: «Quanti giorni?».

«Più o meno una settimana.»

«Come una settimana?»

«Sì.»

Ha sbuffato ed è rimasta in silenzio qualche secondo poi ha detto: «Va bene. Se devi andare, in qualche modo farò. O puoi tirarti indietro?».

«Purtroppo sono obbligato.»

Ormai riuscivo a mentire senza problemi, era una delle cose che la convivenza mi aveva insegnato.

Prima di stare con lei non dicevo così tante bugie, ma ho capito che per stare bene insieme ogni tanto un piccolo inganno è necessario. Essere sempre sinceri può funzionare in un'avventura, ma in una relazione no. Proprio con le persone con cui si è intimi a volte è difficile esprimere certi desideri o disagi senza ferirle.

Sofia non sembrava arrabbiata. Forse perché la cosa era andata liscia io mi sentivo ancora di più in colpa: «Magari puoi chiedere a tua madre se viene».

«Una settimana con mia madre finisce che ammazzo qualcuno, non fa niente, mi arrangio.»

«Può venire Elisabetta, prendersi un paio di giorni dal lavoro.»

Sofia mi ha guardato come fossi un idiota: «Ma secondo te chiamo Elisabetta e le chiedo di prendersi dei giorni dal lavoro e venire qui ad aiutarmi perché tu vai a Berlino? Le persone hanno una vita».

«Non mi sembra una cosa così assurda, tra amici ci si aiuta.»

«Senti Nicola, non ti preoccupare, vai a Berlino e quando hai finito le tue cose torni. Vedrai che ce la caveremo benissimo. Se devi andare devi andare, non credo sia una cosa che tu possa scegliere, giusto?»

Ho deglutito: «Giusto».

«Allora basta parlarne.»

Chissà se aveva capito che stavo mentendo, che desideravo il viaggio a Berlino per staccare da loro. E ho pensato: perché mi sentivo costretto a mentire? Sofia avrebbe dovuto essere la persona con cui confidarmi liberamente. A volte è difficile dirle una verità senza rischiare di ferirla.

Improvvisamente ci siamo ritrovati bloccati nel traffico. Leo si è stancato di stare seduto nel seggiolino e ha iniziato a gridare e piangere. Ci scoppiava la testa.

«Fermati in una piazzola d'emergenza, dobbiamo cambiarlo. Senti che odore.»

Eravamo sulla corsia di sorpasso, mi ci è voluto un po' per raggiungere la piazzola. Leo non aveva smesso un attimo di gridare.

Quando siamo arrivati a casa eravamo esausti. Mi sono messo ai fornelli mentre Sofia faceva il bagno a Leo.

In cucina abbiamo due cucchiai di legno, uno a manico lungo e uno a manico corto. A me piace usare quello lungo. Quando ho aperto il cassetto per prenderlo non c'era.

«Dov'è il cucchiaio di legno lungo?»

«Cosa?»

«Il cucchiaio di legno? Quello lungo? Dov'è?»

«Non ti sento.»

Sono andato fino alla porta del bagno e le ho ripetuto per la terza volta la domanda. Senza nemmeno voltarsi mi ha detto: «Al solito posto nel cassetto».

«Non c'è.»

«Io non l'ho toccato.»

«Allora è sparito» ho risposto con un po' di nervosismo nella voce.

«L'ultima volta l'ho visto nel cassetto, forse lo hai messo da qualche parte tu e non ti ricordi.»

Stabilire chi ha ragione, in un momento del genere, diventa di vitale importanza. L'acqua nella vasca stava ancora scendendo, Sofia ha avvolto Leo in un asciugamano e mi ha seguito in cucina. Era irritata dalla mia insistenza, era sicura di non c'entrare con il cucchiaio.

Ha aperto il cassetto dove avevo appena controllato. «Ho già guardato» le ho detto con tono seccato.

Mi ha passato il cucchiaio di legno a manico lungo: «Eccolo». Era sempre stato lì e io non lo avevo visto.

Mi succedeva spesso, non vedevo cose che stavano sotto il mio naso.

Le ho chiesto scusa, anche se avrei preferito mangiarmi il cucchiaio.

Sbagliare in casa a volte è più umiliante che davanti a mille persone.

La cena di Leo era pronta e Sofia mi ha chiesto se potevo imboccarlo io mentre lei si faceva una doccia. Prima di ogni boccone soffiavo bene, appoggiavo il labbro per sentire se il cibo si era raffreddato e poi glielo davo. Era molto affamato e impaziente, urlava tra un boccone e l'altro. Cercavo di spiegargli che scottava ma non capiva, sentiva solo la fame e l'istinto di colmarla.

Anche se era un bambino c'erano momenti in cui, per stanchezza, mi veniva voglia di infilargli il cucchiaio bollente in bocca per fargli capire che c'era una ragione per cui lo facevo aspettare.

Ho immerso il cucchiaio al centro del piatto e dopo un paio di soffiate gliel'ho dato. È scoppiato a piangere a bocca aperta con lingua e palato in fiamme. Avevo sbagliato senza accorgermene, al centro del piatto la pappa è sempre più calda. Subito gli ho infilato un dito in bocca e ho cercato di toglierne il più possibile, ho cercato di farlo bere ma non voleva saperne. Piangeva in quel modo che ci spaventa sempre, dopo aver gridato va in apnea, smette di respirare, sul viso resta l'espressione di un grido ma non emette suono, un grido muto. La prima volta che ha pianto così pensavamo sarebbe svenuto.

Sofia è arrivata di corsa chiedendo cos'era successo. Il vantaggio di un figlio che ancora non dice frasi di senso compiuto è che posso mentire, sminuire o addirittura cancellare il mio errore. Non l'ho fatto: «Non mi sono accorto, scottava troppo. Mi spiace».

Lo ha preso in braccio e ha cercato di consolarlo.

Dovrei prenderlo in braccio io, ho pensato, *non è giusto che lo faccia lei, che me lo abbia preso dalle mani, così sembro il cattivo che gli fa del male e lei la buona che lo consola.*

Ero incazzato con me per quello stupido errore, per essere un uomo che non è in grado di dare un boccone a suo figlio senza ustionargli la bocca, incazzato con lei che era intervenuta come se fossi un incapace, e incazzato con Leo.

Sono sempre dispiaciuto quando faccio qualcosa che rischia di rovinare la sua fiducia nei miei confronti, ci tengo tantissimo.

Una volta lo abbiamo dovuto portare al pronto soccorso, volevano fargli l'esame delle urine ma lui non faceva la pipì.

«Dobbiamo mettergli un catetere» ci ha detto il medico.

«Non si può aspettare ancora un po'?» ho chiesto nel tentativo di evitargli quel dolore.

«Meglio farlo ora.»

Con dispiacere di tutti hanno inserito il tubicino. Gli tenevo le braccia bloccate sul lettino, piangeva e mi guardava, mi sentivo un torturatore.

Di solito Sofia è molto leale, non mi colpevolizza troppo quando sbaglio, quella sera, mentre mi scusavo, lei restava in silenzio, lo abbracciava e lo cullava senza nemmeno guardarmi.

Sono andato in bagno. Cercavo nella mia testa un espediente per dividermi la colpa con lei. Frugavo nella memoria alla ricerca di una situazione in cui era stata lei a fargli male involontariamente. E alla fine ho trovato un appiglio: se avesse cucinato prima, la cena di Leo non avrebbe avuto bisogno di essere raffreddata e sarebbe stata pronta per essere mangiata. Già mi vedevo la scena, se avessi detto quella cosa sarebbe successo il finimondo. Così sono tornato da loro e non ho parlato.

Sofia lo stava imboccando. La situazione era già svanita, lei non ci pensava e non l'aveva usata contro di me.

Non devi fare errori così stupidi cazzo, mi sono detto.

Ventitré

Mi rigiravo nel letto, tra poche ore sarei stato sull'aereo per Berlino lontano dalla mia famiglia. Sofia si stava facendo la doccia, ho preso il suo cuscino e l'ho sistemato sopra il mio, mi sono appoggiato al muro. Appeso di fronte a me c'era il cartello incorniciato NON DISTURBARE.

L'acqua della doccia si è fermata. Ho guardato la porta del bagno e immaginato quello che stava facendo Sofia. *Si starà infilando l'accappatoio, un asciugamano in testa a mo' di turbante, e si spalmerà la crema su tutto il corpo. Poi verrà in camera per mettersi le mutande facendo schioccare l'elastico,* ho pensato. La cosa che mi piaceva di più era quando per infilarsi le calze appoggiava un piede sul letto e la gamba nuda spuntava dall'accappatoio. Dopo tutti quegli anni ancora catturava la mia attenzione, come quando si metteva il reggiseno.

È uscita dal bagno ed era già vestita, nessun asciugamano in testa, nessun accappatoio. Ho finto di dormire, chissà se ci ha creduto o se stavamo fingendo insieme. Ormai chi la notava più la differenza?

Ho aspettato che fosse uscita dalla camera e avesse chiuso la porta per alzarmi e preparare la valigia.

Ho un metodo molto semplice, prendo una pila di

magliette, calze e mutande e man mano che le metto dentro conto i giorni ad alta voce, mercoledì, giovedì, venerdì. Alla fine aggiungo una maglietta di scorta.

Davanti alla porta controllo sempre di avere documenti, carta di credito.

Ero pronto per Berlino.

Ho dato un bacio a Sofia e uno a Leo: «Non guardare le puntate nuove di "Mad Men", devi aspettarmi». Sofia ha riso. Doveva aspettare sette giorni prima di sapere cosa avrebbe fatto Don Draper con la dottoressa Faye Miller.

Quando sono sceso il taxi era già lì ad aspettarmi.

Negli ultimi giorni avevo pensato spesso al momento in cui sarei stato seduto sul taxi da solo, all'inizio di quella mia settimana di libertà.

Subito qualcosa è andato in maniera diversa da quello che avevo immaginato, il solito mescolarsi di emozioni che avevo imparato a riconoscere dalla nascita di Leo.

Mi mancavano lui e Sofia, mi mancava il mio essere con loro. Prima di essere in aeroporto sfogliavo già le loro foto sul cellulare.

Salito sull'aereo ero un po' agitato, non avevo mai avuto paura di volare, quella mattina invece sì. Da quando era nato Leo le mie preoccupazioni si erano moltiplicate. Avere un figlio mi aveva esposto in modo costante a mille fragilità, una su tutte la paura di perderlo.

Leo ha ampliato i confini di ciò che si può chiamare *presenza*, lui è una costante anche quando non è con me. È impossibile essere veramente soli, sfuggire, è come se una parte del cervello fosse sempre dedicata a quel legame e non fosse concesso liberarsene. Può essere un'immagine che strappa un sorriso e mi scalda il cuore. A volte, sono immagini di catastrofi, tragedie, incidenti tremendi.

Una notte ho sognato che non lo trovavamo più e quando mi sono svegliato ho iniziato a piangere.

Non sono mai stato una persona ansiosa o pessimista, ma se faccio una scala con Leo in braccio penso subito di cadere, di procurargli un danno che lo segnerà tutta la vita.

In aereo avevo paura di morire e la cosa che mi ha sorpreso era che la mia morte mi spaventava perché non avrei più potuto prendermi cura di lui.

L'amore per i figli porta con sé una vulnerabilità infinita.

A Berlino ero già stato più volte, anche con Sofia. Avevo i miei due o tre punti fissi, soprattutto ristoranti.

Dopo essere stato in hotel sono andato a fare una passeggiata. Camminare senza dover stare attento ad altri, senza nessuna responsabilità, senza programmi, aveva attenuato il senso di mancanza verso la mia famiglia. Più passava il tempo, meno mi mancavano. Mi sentivo leggero.

Al mattino mi svegliavo riposato da un sonno ininterrotto, facevo un'abbondante colazione senza nessuno che strillava, poi tornavo in camera per la doccia e mi preparavo per la giornata.

Avevo diversi appuntamenti, tutto avveniva senza stress, nel gruppo di lavoro si viveva un'aria rilassata e avevo molto tempo libero.

Le telefonate con Sofia erano quasi sempre alla stessa ora, una al mattino per sapere se andava tutto bene, una alla sera. Durante il giorno ci mandavamo messaggi.

A volte sentivo che non avevamo niente da dirci, come se il sentirsi fosse più dovuto che desiderato.

Era una brutta sensazione. Cercavo di riempire i silenzi con qualsiasi cosa. Sono riuscito a lamentarmi anche del fatto che in hotel invece dell'asciugacapellli tradizionale c'era una scatola color nocciola appesa al muro da cui usciva un tubo per l'aria calda: «È più potente l'alito di un cane». Non ho nemmeno sentito se Sofia avesse riso alla mia battuta.

Quando mi chiedeva se mi stavo divertendo, cercavo di sminuire, le dicevo che per la maggior parte del tempo era una noia mortale. Se durante la giornata avevo avuto un piccolo problema facevo in modo che occupasse metà della telefonata. In realtà mi stavo divertendo. Una città nuova, gente nuova, parlare inglese, andare al ristorante tutte le sere: stavo da dio.

Si era creato un bel gruppetto internazionale, tutta gente simpatica e brillante. C'era un mondo in movimento oltre le mura domestiche. La sera in camera prima di addormentarmi avevo sempre voglia di masturbarmi, credo sia l'energia delle stanze d'hotel. Un paio di volte l'ho anche fatto, era bello essere a letto da solo e poter fare quello che volevo. A casa era complicato anche farsi le seghe.

Una volta appena dopo averlo fatto ho acceso la televisione, c'era il Dalai Lama che, tutto sorridente, con lo sguardo sereno e la voce pacata, parlava di cose profonde. Io me ne stavo nudo come un verme sdraiato sul letto dell'hotel. Mi sono sentito uno schifo, mi sono rivestito subito come se potesse vedermi.

Poi ho spento la TV e mentre cercavo di addormentarmi ho pensato che se il Dalai Lama non perde il controllo, non si irrita, non si arrabbia mai è solo perché non convive con una donna, non è sposato e soprattutto non ha figli. Se il Dalai Lama venisse a casa mia qualche giorno e vedesse come sono bravo sarebbe impressionato. Cercavo di immaginarmi la scena, io in cucina a pelare le carote dopo una discussione con Sofia, lui che si alza dal divano, mi si avvicina e mettendomi una mano sulla spalla mi dice: «Come fai Nicola? Me lo insegni? Dove trovi dentro di te questa forza?».

«Non lo so, Dalai, è un mistero. Me lo chiedo sempre anche io.»

Mi sono addormentato ridendo da solo.

Ventiquattro

Un giorno durante una pausa pranzo mi sono ritrovato seduto di fianco a Nadine, lavorava per un'azienda olandese. L'avevo già incrociata altre volte ma oltre ai saluti di circostanza non avevamo mai scambiato molte parole. Era carina, un po' troppo magra per i miei gusti, ma aveva un viso dolce e due occhi verdi che catturavano subito.

Abbiamo parlato di musica e di New York. Aveva vissuto a Brooklyn qualche anno e proprio in quel periodo si era fidanzata con un ragazzo di Palermo, sapeva qualche parola in italiano. Ora conviveva ad Amsterdam con un nuovo compagno.

Da quel pranzo era capitato che spesso passassimo insieme le pause caffè. C'era qualcosa di facile nel nostro modo di parlarci, qualcosa di famigliare, ci capivamo subito.

Al mattino mi alzavo più volentieri sapendo che l'avrei incontrata. La sua presenza rendeva le giornate lavorative più belle, aveva il potere di cambiare il mio umore.

Non so se fosse innamorata del suo compagno, non ne abbiamo mai parlato. Una sera in hotel prima di addormentarmi ho fatto delle fantasie su di lei, non solo sessuali. Cercavo di immaginare come sarebbe stata la nostra vita, mi sembrava che mi capisse meglio e più di Sofia.

Forse con lei avrei potuto essere più felice, mi sono detto.

Mi era già capitato di fare gli stessi pensieri con delle sconosciute, mentre ero in coda alla cassa del supermercato o seduto in un bar o in metropolitana. A volte mi capitava addirittura di pensarlo con un'attrice. Guardavo un film e mi dicevo che quella era la donna di cui avrei avuto bisogno.

L'ultimo giorno a Berlino, prima di tornare a casa, abbiamo organizzato una cena tutti insieme. *Domani tornerò alla mia vita di sempre,* mi sono detto uscendo dall'hotel.

Durante la cena mi stavo divertendo, ero brillo. È squillato il telefono, mi sono alzato e ho lasciato il tavolo. Ho cercato un angolo tranquillo per rispondere: «Ciao, come va?». Mi sforzavo di non farle capire che ero ubriaco e un po' euforico: «Leo dorme?».

«L'ho messo a letto dieci minuti fa. Che fai?»

«Sono alla cena con tutti, sai, l'ultima per salutarsi.»

Sofia non mi ha chiesto niente e mi ha raccontato di come la mattina avesse avuto una discussione con sua madre sul fatto che non fosse andata da loro in quella settimana.

L'ascoltavo ma l'unico mio desiderio era tornare al tavolo con gli altri.

«Solo lei ha la capacità di irritarmi così. È incredibile.»

Non sapevo cosa dire, la cosa non mi interessava minimamente, anzi mi stavo annoiando: «Tutte le mamme sono così con le figlie, fa parte del loro lavoro».

«Questa volta ha esagerato, le è scappata una parola di troppo.»

Mi sono voltato verso il tavolo, vedevo gli altri ridere: «È comprensibile, è l'unico nipote che ha e lo vede poco».

«Perché devi prendere le sue difese?»

«Non lo sto facendo, sto provando a capire il suo punto di vista.»

«Devi sempre dare ragione agli altri, e poi mia madre neanche la sopporti.»

Ho capito che qualsiasi cosa avessi potuto dire, non sarebbe andata bene, era una di quelle situazioni in cui Sofia voleva solo litigare. Io volevo solo tagliare corto.

«Mi stanno aspettando. Ci sentiamo dopo.»

«Dopo sarò stanca, puoi anche non chiamare tanto ci vediamo domani.» Non l'ha detto con rabbia o un senso di ripicca, c'era una strana stanchezza nel suo tono di voce, come una resa.

Ci siamo salutati, dopo aver chiuso ho detto ad alta voce: «Che due palle». Ho deciso che mi sarei goduto la serata, e sono tornato al tavolo.

A fine cena una decina di persone sono venute in albergo con noi. Avevamo deciso di andare tutti da Javier, un ragazzo di Madrid molto simpatico e sempre pronto a festeggiare, bere e fare tardi. Il suo capo gli aveva lasciato la suite per l'ultima notte. In più Javier era riuscito a procurarsi della marijuana.

Mi sembrava di essere tornato indietro nel tempo, non mi capitava di trovarmi in una situazione così da secoli.

Avevo pensato di rimanere un'ora, non di più. Per prima cosa mi sono impossessato del computer di Javier, avevo voglia di mettere della musica. Ho iniziato con Nicolas Jaar, *El Bandido*, poi ho proseguito con Kalkbrenner. Sulle note di *Sky and Sand* ho avuto la sensazione di essere osservato. Ho alzato gli occhi e ho visto Nadine che mi fissava. Mi ha sorriso, c'era qualcosa di nuovo nel suo sguardo, forse un pensiero. Ho risposto al suo sorriso e sono tornato alla playlist. Avrei voluto alzare la testa, vedere se fosse ancora lì a guardarmi, ma ho avuto paura di farlo.

Ho trovato su YouTube una sequenza mixata, e mi sono seduto a terra a chiacchierare. Ogni tanto mi voltavo a cercare Nadine, il modo in cui mi aveva sorriso mi era entrato in testa e non riuscivo a liberarmene.

L'ho vista chiacchierare con un ragazzo e ho intuito che stessero flirtando. In quel momento ho sentito una gelosia come non mi capitava da anni.

La vedevo ridere e qualcosa dentro lo stomaco mi bruciava.

Ero sconvolto da quello che provavo.

Stavo pensando a quanto fossi stupido, quando qualcuno mi ha picchiettato sulla spalla. Mi sono voltato ed era lei.

«Tieni» mi ha detto passandomi una canna.

«Grazie.»

Si è seduta accanto a me.

Ho fatto un paio di tiri e poi gliel'ho ridata. Lei l'ha presa, l'ha girata dalla parte della brace e l'ha infilata in bocca, poi mi si è avvicinata, il bacio del diavolo. Da ragazzino chiamavamo così quel modo di fumare, chi aveva la brace in bocca soffiava e dal filtro usciva il fumo per l'altro. Era molto sensuale.

Mentre si avvicinava per il bacio del diavolo mi ha guardato nello stesso modo di prima, uno sguardo che ancora oggi mi torna in mente. Mi penetrava, mi scuoteva, faceva crollare ogni mia certezza. L'avrei baciata subito, avrebbe potuto fare di me quello che voleva. Ho capito che non ero più così forte come ero sempre stato.

Non fumavo da anni, cominciavo a sentire gli effetti della marijuana. Chiacchieravamo seduti per terra con le schiene appoggiate al muro, le gambe si toccavano e ogni tanto mi sfiorava il ginocchio. Ero molto coinvolto.

All'improvviso ho avuto un'illuminazione, ho capito cosa mi prendeva in maniera totale. Non era quello che vedevo sul suo viso ma quello che vedeva lei. Mi sentivo desiderato, affascinante, attraente.

Ho sentito una virilità dimenticata da un pezzo.

Mi piacevo di più negli occhi di quella ragazza che in quelli della donna che amavo, con cui vivevo e da cui avevo un figlio. Ero tornato a essere un uomo, un maschio, un cacciatore.

Sarà stato l'alcol o le canne, ho iniziato a vedermi da fuori, vedevo le espressioni sul mio viso mentre la guardavo, mentre le parlavo, e mi sono chiesto che persona fossi diventato. Come potevo desiderarla, come potevo sognare di stare tra le braccia di quella sconosciuta, mentre avevo un figlio piccolo? Non ero la persona che credevo di essere.

Mentre pensavo a tutte queste cose lei mi ha accarezzato il viso, le ho preso la mano per fermarla e le ho baciato le dita.

«Meglio se vado a dormire.»

Mi ha guardato un po' stupita, forse non se l'aspettava.

«Sei sicuro? Adesso inizia il divertimento.» Si è alzata ed è andata verso il bagno. Prima di entrare mi ha fissato in un modo che mi ha fatto ribollire il sangue.

Poi è sparita lasciando la porta socchiusa. Mi sono guardato intorno, nessuno si era accorto di cosa stesse succedendo.

Sono andato davanti al bagno e sono rimasto immobile qualche secondo. Ho aperto la porta, mi stava aspettando. Senza dire niente si è alzata il vestito e si è abbassata le mutande. Non era completamente rasata, aveva un ciuffetto biondo. A parte Sofia erano anni che non vedevo una donna nuda.

Si è seduta sul bagno e ha iniziato a fare la pipì, mentre con una mano mi ha invitato ad avvicinarmi.

Come fossi sotto ipnosi ho camminato verso di lei. Quando le sono arrivato di fronte mi ha slacciato la cintura e sbottonato i pantaloni. Il sangue continuava a bollirmi nelle vene. Le ho posato una mano sulla testa poi con l'altra l'ho fermata, mi sono chinato, le ho dato un bacio sulla fronte e le ho detto: «No, vorrei ma non posso. Scusa». Mi sono sistemato e sono uscito nel corridoio, diretto alla mia camera. Il cuore batteva forte, non provavo un'emozione così intensa da mesi, forse anni.

Davanti alla porta, nel tentativo di cercare la chiave ho preso in mano il telefono e ho visto che Sofia mi aveva cercato. Ormai era troppo tardi per richiamarla. Ho deciso che al mattino le avrei detto che stavo già dormendo.

Mi sono chiesto se quello che era appena successo poteva essere considerato un tradimento. Non c'eravamo baciati o altro, però una donna si era spogliata davanti ai miei occhi, io mi ero avvicinato e lei mi aveva slacciato i pantaloni. Mi ero spinto oltre, mi sarei dovuto fermare molto prima.

Cosa mi stava succedendo?

Ho sempre considerato il tradimento una cosa meschina. Tra me e Sofia sarebbe anche potuta finire, sì, ma non per un tradimento.

Ho aperto la porta, stavo per entrare quando ho sentito qualcuno chiamarmi. Mi sono girato, era Nadine.

Mi ha scostato e si è infilata dentro.

Non sono riuscito a dirle di andarsene. Lei ha preso il cartello NON DISTURBARE e lo ha appeso alla maniglia, poi mi ha afferrato per un polso, mi ha tirato a sé e ha chiuso la porta.

Venticinque

Dopo essere tornato da Berlino non stavo bene, mi scoppiava la testa e mangiavo poco.

Avevo bisogno di parlare con qualcuno, tirare fuori ciò che sentivo dentro e che mi sfiniva, ma non ci riuscivo, neanche con Mauro. Ero rimasto sorpreso nello scoprire che il sentimento che stavo provando non era colpa o vergogna, ma rabbia. Rabbia nei miei confronti e in quelli di Sofia.

Non stavo cercando di scappare dalle mie responsabilità, sapevo di averne, ma se mi ero trovato in quella situazione, mi dicevo, c'entrava anche lei.

Stiamo passando un momento difficile o è tutto finito? mi sono chiesto.

La nostra relazione era a un punto cruciale, un punto pericoloso, per questo dovevo trovare il coraggio e la forza di parlarle.

Una sera prima di cena Sofia ha messo a letto Leo, io giravo per casa come un animale. Non potevo più rimandare o fingere, dovevo affrontare la situazione. Tutto mi sembrava angusto, stretto, come se l'appartamento si fosse rimpicciolito.

Sono andato in cucina, ho bevuto un bicchiere d'acqua, mi mancava l'aria. Quando Sofia si è presentata sulla porta le ho detto: «Ho bisogno di parlarti».

È andata verso il lavandino per appoggiare i piatti sporchi: «Posso sistemare prima i piatti?».

Aveva parlato senza guardarmi. Non ho risposto, in quel silenzio si è voltata e quando ha visto l'espressione del mio viso ha capito: «È successo qualcosa?» mi ha chiesto preoccupata.

«Sì, siediti.»

Un silenzio innaturale ha riempito la cucina, avevo molte cose da dire ma non sapevo da dove iniziare. Mentre cercavo le parole mi ha chiesto: «È una cosa grave?».

«Diciamo importante.»

Mi ha guardato per qualche secondo, poi come se avesse un sospetto: «C'entra il tuo viaggio a Berlino?».

Ho fatto sì con la testa.

La sua espressione è cambiata, sembrava aver capito.

All'improvviso tutto era statico, immobile, fermo. Sofia aspettava le mie parole, io tacevo.

Forse per sfuggire a ciò che sentiva dentro si è alzata, è andata verso il lavandino e ha riempito un bicchiere d'acqua. Mi dava la schiena, senza voltarsi ha detto: «È quello che penso?».

Non sapevo cosa rispondere. Ha bevuto e mentre appoggiava il bicchiere ha aggiunto: «C'è un'altra donna? Hai incontrato un'altra?».

Ho aspettato un secondo, la gola era secca, le parole facevano fatica a comporsi: «Sì e no».

«Cosa significa sì e no?» mi ha chiesto girandosi e guardandomi negli occhi. La sua espressione mostrava una fragilità inaspettata.

«Significa no, che non c'è un'altra donna, e sì, che ne ho incontrata una.»

«Non capisco.»

Ho deglutito. Con una mano ho iniziato a giocherellare con il tappo dell'acqua sul tavolo: «In questi giorni a Berlino ho conosciuto una ragazza, l'ultima sera dopo cena sono andato a una festa, te l'ho detto, e c'era anche lei. Abbiamo iniziato a parlare, ho bevuto, ho anche fumato». Mentre parlavo l'espressione di Sofia è cambiata. Non sembrava più spaventata, ma infastidita. Mi ha interrotto: «Se hai scopato con lei fermati qui, e soprattutto non usare la scusa dell'alcol, non dirmi che lo hai fatto perché eri ubriaco o perché ti sei fatto una canna».

«Non uso nessuna scusa, fammi finire.»

Sofia si è appoggiata al lavandino, con le mani ha afferrato il bordo. Ho ripreso a parlare: «Mentre stavo con quella ragazza ho sentito qualcosa, qualcosa che non sentivo da tempo, troppo tempo».

«Te la sei scopata? Dimmelo, non tirarla per le lunghe» mi ha detto con tono di sfida.

«Non m'interrompere.»

Ha lasciato la presa del lavandino.

«Negli occhi di quella ragazza mi sono sentito vivo. Ero affascinante, mi guardava in un modo in cui tu non mi guardi più.»

L'espressione di Sofia era sempre più tesa, gli zigomi pronunciati.

«Prima che me ne andassi è stata esplicita, mi ha detto chiaramente che voleva passare la notte con me.» Mi sono fermato, i nostri sguardi erano uno dentro l'altro.

«Cosa le hai risposto?»

«Le ho risposto di no e me ne sono andato in camera mia.»

Sofia ha fatto un respiro profondo, ho smesso di parlare per qualche secondo, sapevo che stavo arrivando alla parte più difficile.

«Ti sei innamorato e vuoi tornare da lei?» mi ha chiesto con tono quasi amichevole.

«No.»

«Allora non capisco. Mi stai dicendo che hai flirtato con una e che volendo avresti potuto passarci la notte insieme?»

Sofia aspettava una risposta, io cercavo le parole giuste: «Quando sono entrato in camera mia, lei mi ha seguito ed è entrata con me».

Qualcosa nel cuore di Sofia si è staccato ed è caduto, un dolore profondo aveva fatto un tonfo dentro di lei, l'ho capito dal suo sguardo. «Sei uno stronzo» mi ha detto avanzando verso di me. «Sei uno stronzo» ha ripetuto, gli occhi erano diventati lucidi in un istante. Mi ha spinto, le ho afferrato i polsi: «Aspetta, fammi finire».

«Non mi interessa, non voglio sentire le tue stronzate.»

«Invece sì, mi devi ascoltare.»

Come una bomba a orologeria Leo ha iniziato a piangere, si era svegliato.

«Lasciami andare.»

«Aspetta, fammi finire, magari smette.»

«Lasciami» mi ha detto alzando la voce. Le ho lasciato le mani, è corsa via.

Sono rimasto in cucina ad aspettarla, non avevo finito, non le avevo ancora detto la cosa più importante.

Dopo una decina di minuti è tornata. Gli occhi erano rossi, aveva pianto. Ci siamo guardati.

«Fammi finire, ti prego.»

Ha incrociato le braccia ed è rimasta accanto al lavandino, lontana da me.

«Le ho chiesto di uscire, mi ha afferrato per la cintura e mi ha tirato verso di lei.»

«Stai zitto, non voglio sentirlo, perché vuoi che lo senta? Smettila.»

«Ci siamo guardati negli occhi, nei suoi occhi mi sono visto in un modo che non ricordavo nemmeno più di poter essere. È durato qualche secondo ma è bastato. Le ho preso il viso tra le mani, subito ho capito che stavo sbagliando, ho aperto la porta e l'ho spinta fuori.»

«Non ci credo.»

«Te lo giuro.»

«Sei un bugiardo.»

«È la verità.»

«Mi stai dicendo che non ci hai scopato?»

«Sì. Non ci ho scopato.»

«Però vi siete baciati.»

«No.»

Sofia si è sistemata i capelli e ha passato una mano sugli occhi, come ad asciugare delle lacrime invisibili. Poi si è seduta.

Avevo il cuore in gola, le mani sudate, ero agitato.

«Mi spiace.»

Tutto era silenzioso, si sentiva solo il rumore del frigorifero. Siamo rimasti così per un po', Sofia guardava a terra, io guardavo lei. Poi ha alzato lo sguardo fino a incrociare il mio: «Perché me lo hai detto? Che senso ha?».

«Perché voglio che tu lo sappia.»

«Ti senti in colpa? Vuoi toglierti un peso?»

«No, voglio che tu lo sappia perché è di questo che dobbiamo parlare.»

«Cosa vuoi sentirti dire? Che sei stato bravo? Devo farti i complimenti perché non te la sei scopata?»

«No.»

«Allora cosa vuoi?» mi ha chiesto alzando la voce.

«Voglio che ci fermiamo un attimo, che ci guardiamo

negli occhi, che ci diciamo quello che non va, perché non voglio che sia troppo tardi.»

Sofia ha fatto una lunga pausa: «Forse lo è già».

Ero sicuro che non credesse alle parole che aveva appena detto.

«Sai cosa mi ha fermato quella sera?»

Non sembrava voler parlare, tantomeno rispondere.

«Mi ha fermato un'immagine. Un'immagine di te mi ha dato la forza di spingere quella ragazza fuori dalla stanza.»

«Dovrei essere contenta?» ha detto con tono sarcastico.

«Aspetta, lasciami finire. Non era un'immagine di te adesso, era la Sofia di una volta, quella che ho conosciuto a Roma, quella a cui ho chiesto di venire a vivere con me e con la quale ho sognato, desiderato e pianificato un futuro insieme.»

Mi guardava e ascoltava attentamente.

«Non so se sono stato io ad allontanare quella Sofia, non so se sia stata colpa mia, l'unica certezza che ho è che è lei la donna che amo, con la quale voglio passare il resto della vita.»

«Tu pensi di essere lo stesso Nicola che ho incontrato?»

«No.»

«Bene, siamo pari. Ci siamo delusi a vicenda» ha detto in maniera secca e decisa.

Non ho avuto la prontezza di rispondere alle sue parole. Nel silenzio ha proseguito: «Pensi sia difficile solo per te?».

«No, lo so che...»

«Fammi parlare.»

Mi sono appoggiato allo schienale della sedia.

«Pensi che io non mi sia mai chiesta se ho fatto la

scelta giusta? Vivevo da sola, uscivo con le mie amiche, viaggiavo. Ho lottato anni per ottenere il lavoro
che facevo. Sono stata brava, quella vita me la sono
guadagnata. Tu non hai dovuto rinunciare al tuo lavoro per essere qui con me adesso. Io sì. Ci sono giorni che non riesco neanche a farmi una doccia, andare
a comprarmi un paio di mutande, parlare al telefono
con un'amica.» Si è fermata un istante, poi mi ha detto:
«Guardami negli occhi, Nicola, guardami bene, quante volte ti ho rinfacciato queste cose?».

«Mai.»

«E sai perché?»

Non ho risposto.

«Non l'ho fatto per te, l'ho fatto per me e per noi.
Anche se è faticoso e a volte mi sembra di impazzire,
vado avanti perché a differenza tua io ho scelto, ho
detto sì a questa famiglia. Tu, dopo tutti questi anni,
dopo un figlio, ancora non sai cosa vuoi.»

«Non è vero.»

«Invece sì. Pensi che io non lo senta?»

«Che cosa?»

«Quello che hai nella testa. Pensi non mi accorga o
non sappia che ti piace pensare alla tua vita di prima,
convinto che potresti essere più felice senza di noi, più
libero? Lo hai sempre fatto, fin dall'inizio. Mi sono detta che avevi bisogno di più tempo, che dovevo avere pazienza e che se ti avessi forzato saresti scappato.
Ti sto ancora aspettando. Nemmeno Leo è bastato.»

Non riuscivo a parlare, ho sentito un'ondata di calore in faccia e un senso di vergogna come se lei mi
avesse smascherato.

«Lo so che ogni tanto ci pensi, che ti piace andare in
quell'angolo e fantasticare su di te da un'altra parte. Ti
capisco, sono tentata anche io di farlo a volte, ma dura

poco. Abbiamo un figlio e ci siamo accorti che la felicità che pensavamo di trovare non era in una scatola che andava semplicemente aperta, ma che bisognava lottare. Forse siamo stati ingenui o forse è solo così che vanno le cose, non siamo i primi, non siamo gli unici. Questo non te lo so dire, posso solo dirti che non cambio idea e non cerco delle scappatoie. Anche quando tutto sembra difficile e tu sei noioso, pesante, ingiusto, non vado a cercare la felicità altrove come fai tu.»

«Non sono andato a cercare la felicità altrove, forse avevo solo bisogno di capire.»

«Capire cosa?»

«Che ci tengo a voi, che ti amo.»

«Hai avuto bisogno di quella stanza d'hotel per capirlo?»

«Forse sì, e mi dispiace.»

«Ti sei dovuto spingere così in là per vedere se quella vita fosse ancora possibile per te.»

«Non è vero, è qui dove voglio stare. Non ci ho scopato, te l'ho detto.»

«A questo punto non fa differenza» ha detto con voce pacata, poi si è alzata ed è andata in bagno, forse aveva bisogno di pensare, di capire.

Io sono rimasto in cucina ad aspettare, sarebbe tornata con parole nuove, parole che stava pensando in quel momento. Poi ho sentito i suoi passi avvicinarsi, mi sono passato una mano sulla faccia, ero pronto a proseguire, ma lei invece di venire in cucina ha aperto la porta di casa e se ne è andata.

Mi sono andato a sedere sul divano, l'avrei aspettata immobile.

Non è stata via molto, forse un'oretta. Non sembrava più arrabbiata quando è rientrata.

Le ho chiesto di sedersi accanto a me.

«Non mi va, ne parliamo domani.» È andata in camera da letto, l'ho seguita. Si è girata e mi ha detto: «Per favore». L'ho lasciata andare.

Quella sera ho dormito sul divano.

Al mattino non ci siamo detti molto, come sempre Leo occupava la scena e ci impegnava totalmente. Sono andato al lavoro con un enorme peso sullo stomaco.

Durante il giorno non ci siamo sentiti e non ci siamo scritti neanche un messaggio. Era difficile capire cosa sarebbe successo quando fossi tornato a casa. Ho avuto il sospetto che non l'avrei trovata, invece quando ho aperto la porta era lì.

Abbiamo cenato in silenzio, lei non ha aperto bocca tutta sera, io non sentivo il sapore di ciò che stavo masticando. Quando Leo si è addormentato non avevamo più scuse, dovevamo affrontare la situazione. È stata Sofia a iniziare. La sua voce era calma, bassa e pacata. Quella che si usa quando si vuole veramente farsi ascoltare. Non ho mai capito se le parole che ha usato nascessero sulle sue labbra in quell'istante o se fossero il frutto dei pensieri fatti durante il pomeriggio e la notte precedente.

«Non voglio litigare e nemmeno parlare di Berlino, voglio solo dirti che lo so che mi ami, quando me lo dici ci credo, non penso tu mi stia mentendo. Ma il punto è un altro. Il punto è se vuoi stare con me, se vuoi questa vita. Non possiamo continuare così. Lo so che te l'ho già detto molte volte, ma te lo ripeto, ho bisogno di sentirti presente, sentire che ci sei, che sei qui. È come se ci fossero due vite, questa e quella immaginata che sta nella tua testa, e tu per assurdo non sei in nessuna delle due. Sei qui ma sei altrove, come se fossi sempre davanti all'uscita d'emergenza. Bisogna che decidi cosa fare, dove stare. Se senti di voler andare da un'altra parte, se pensi che puoi essere più felice senza di noi, vai. Non devi rinunciare per paura di ferirmi.»

La guardavo in silenzio.

«Non ti sto chiedendo di dirmelo ora. Prenditi il tempo e lo spazio che ti servono. Vai da Mauro, vai in hotel, vai dove vuoi e pensaci. Pensaci bene, e quando hai deciso torni qui e me lo dici.»

Mi sono avvicinato per abbracciarla, lei ha arretrato.

Da quella sera ho dormito da Mauro.

Ventisei

Il divano di Mauro non era molto comodo, in compenso lui mi stava vicino in modo affettuoso.

È riuscito perfino a dirmi la frase tipica che si dice in quelle situazioni: «Guarda che una come lei non la trovi più, non fare cazzate».

Una mattina doveva andare dall'oculista e mi ha chiesto di accompagnarlo, gli avrebbero messo l'atropina e aveva bisogno che lo riportassi a casa.

In sala d'attesa ho preso una rivista e ho iniziato a sfogliarla.

«Hai sentito Sofia oggi?»

«Non ci chiamiamo in questi giorni» ho risposto appoggiando la rivista e prendendone un'altra. Le sfogliavo velocemente, senza leggerle.

«Secondo me è anche colpa tua» ho detto.

«Cosa?»

«Che io e Sofia siamo in questa situazione.»

«Addirittura» mi ha risposto.

«Se tu fossi in una relazione stabile, ci potremmo aiutare a vicenda.»

«Interessante teoria.»

«Se anche tu avessi dei figli forse avrei un amico nella mia stessa condizione.»

«Per quello c'è Sergio.»

«Ma Sergio è messo come me, invece è con la tua vita che vado in confusione. Mi viene da pensare alle mille cose che potremmo fare insieme come ai vecchi tempi.»

Mauro ha sorriso: «Macché vecchi tempi! Qui di vecchi ci siamo solo noi. Guarda come sto messo, ho bisogno dell'accompagnatore come mio nonno. Ormai ho più peli sulle orecchie che capelli in testa».

«Sei sempre un bell'uomo» gli ho detto con tono ironico.

«Tu dei vecchi tempi ti stancheresti dopo una settimana, come ti eri già stancato quando hai incontrato lei. Ti ricordi quella volta che Sofia s'è fatta la settimana dai suoi con Leo?»

Ho annuito.

«I giorni prima che partissero eri euforico. Poi quando se ne sono andati la prima sera siamo usciti insieme, la seconda anche, già la terza ti eri rotto le palle.»

«Ma che vuol dire? Mica ci eravamo lasciati, è diverso.»

«È la stessa cosa. Non ti ricordi cosa mi dicevi in quei giorni?»

«Cosa?»

«Nicola, io non ci vedo bene ma tu non ti ricordi un cazzo. Mi dicevi che era come se ti mancasse un pezzo di te, ti sentivi amputato.»

«Amputato? Ma è una parola orrenda, credo di non averla mai detta in tutta la mia vita.»

«Invece sì, dicevi che stare solo non era più come prima. Parole tue.»

«Mi sa che ti ricordi male.»

«Mi ricordo benissimo invece. Se tu vivessi la mia vita ti annoieresti a morte.»

«Sei tu che ti annoieresti se vivessi la mia. Se vuoi

farti un weekend a Parigi, prendi un aereo e vai, non devi chiedere niente a nessuno.»

«Lo so ma alla fine l'ho già fatto, e anche tu. Sono tutte cose che hai già fatto, mentre adesso anche se non è un periodo facile è tutto nuovo. Mi piace pensare al weekend a Parigi, ma alla fine non ci vado mai. Non vogliamo la libertà, ma l'idea della libertà, l'illusione di essere liberi. Poi quando lo siamo, ci vuole talento per non rompersi le palle, e tu quel talento non ce l'hai. E se devo dirla tutta nemmeno io.»

«Se potessi tornare a come ero prima, andrei ovunque.»

«Sono tutte cazzate che ti racconti. Quello che eri non esiste più, è un'illusione, un trucco della mente. Non esiste più, come non esiste più quella vita. Invece di andare avanti vuoi tornare indietro, ma quel passato a cui ti aggrappi esiste solo nella tua immaginazione.»

Siamo rimasti in silenzio, poi Mauro ha proseguito.

«Immaginati vecchio, diciamo oltre i settant'anni. Che ricordi vorrai avere a quell'età? Pensa al tipo di ricordi che stai costruendo. Quando un pomeriggio piovoso di novembre seduto sulla poltrona di casa penserai alla tua vita, quale vorrai aver vissuto?»

Non avevo una risposta.

È arrivato il turno di Mauro, un'infermiera lo ha accompagnato dal dottore, sono rimasto ad aspettarlo e a ripensare a quello che mi aveva detto. Quando è uscito non pareva neanche più lui. Mi ha sempre affascinato scoprire quanto l'espressione degli occhi riesca a cambiare i lineamenti di un viso. Basta uno sguardo perso per sembrare un'altra persona.

In quel periodo, durante la settimana andavo da Leo, per stare insieme e giocare con lui, ma non dormivo mai a casa.

È difficile spiegare la situazione che stavamo vivendo io e Sofia. Eravamo in una sorta di limbo, fuori dallo spazio e dal tempo, dentro l'incertezza delle nostre vite. Mi sentivo sospeso.

Sofia non era arrabbiata con me, quando c'ero io, che potevo andare e venire dall'ufficio, restava quasi sempre in casa, a volte approfittava per fare la spesa, un paio di volte è andata a fare dei colloqui di lavoro. Ero stupito dal suo modo di gestire la situazione. Stava aspettando che decidessi se restare oppure no. Ho capito quanta forza aveva dentro per non mandarmi a quel paese, io al posto suo avrei agito d'orgoglio.

Quando andavo via diretto a casa di Mauro mi veniva un nodo allo stomaco, mi mancavano. Eppure ero spaventato all'idea di ritornare, perché avevo paura che dopo l'entusiasmo iniziale tutto si sarebbe ripetuto come prima.

Mi chiedevo se amassi Sofia o l'idea della famiglia.

Nella mia testa era un continuo alternarsi di sensazioni, decisioni, umori. Non era facile.

Mauro ogni giorno mi diceva qualcosa nel tentativo di farmi tornare da lei.

«Se vuoi che ti liberi il divano puoi dirmelo» gli ho detto un giorno mentre stavamo facendo la spesa al supermercato.

Si è messo a ridere, poi ha fermato il carrello e mi ha detto: «Dopo che mi sono lasciato con Michela uscivo solo con donne fidanzate o sposate. Te lo ricordi?».

«Certo.»

«Più mi sembravano felici con il loro uomo più ero deciso a volermele scopare. Volevo dimostrare a loro e al mondo che era una felicità finta, una recita, una bugia. Non mi bastava sedurle e scoparle, volevo sconvolgere la loro vita. Quando ci riuscivo provavo la sensazione di aver fatto qualcosa di giusto.»

«Cosa c'entra adesso? Vuoi provarci con Sofia?»

«Ma che cazzo dici? Ti sto dicendo questa cosa perché non ho mai avvertito tra te e lei quel senso di recita. Mi sembrate reali.»

«Sei sicuro?»

«Di Sergio e Lucia non lo penso.»

«Cosa?»

«La loro storia è un'altra faccenda rispetto alla vostra.»

«In che senso?»

«Sergio ha fatto una figlia con Lucia perché voleva stare con lei, Lucia voleva un figlio, non necessariamente con Sergio. Se lui avesse detto no l'avrebbe fatto con un altro, con lo stesso trasporto, lo stesso amore.»

«Non lo so, non ci ho mai pensato.»

«Non avere figli è come fare una passeggiata in campagna. Trovi un albero vicino a un ruscello, ti puoi sedere sotto la sua ombra, puoi fare una bella pennica, mangiare qualche frutto. Niente male, direi, non ci si può lamentare. Avere figli è come camminare in montagna, la salita è molto più faticosa della pianura, ma quando alzi lo sguardo vedi dei panorami che da qui non si vedono. La vita che hai scelto è quella da cui si vede il mare, per cui non rompere i coglioni ogni volta che c'è una salita ripida.»

«Cazzo che metafora, hai un talento come scrittore. A parte la storia del pollo che vuole volare.»

«Non dire così, l'ho quasi finita.»

«Giura.»

«Giuro.» Abbiamo riso.

Quando siamo tornati a casa Mauro è andato verso la sua scrivania, ha aperto il cassetto e mi ha portato un quadernone.

«Ecco alcune pagine della storia del pollo.»

«Mi hai rotto le palle perché ascolto i vinili e poi tu scrivi a penna?»

«Ho iniziato così una sera e non ho avuto voglia di riscriverlo al computer.»

Ho letto qualche riga. Faceva ridere, non era niente male: «Quando finisci di scriverla la voglio leggere».

«Certo, sei tu il mio primo test. Però non riesco a scrivere un libro intero. Ho deciso di fare una raccolta di racconti.»

«Hai altre storie?»

«Sì, tutte tristi. In questi giorni sto lavorando a una fantastica, parla di un uomo brutto che si innamora di una ragazza brutta. Lavora tantissimo, fa un sacco di sacrifici e con quei soldi le paga il chirurgo plastico. Lei si rifà il naso, il seno, le labbra e perde tutti i chili di troppo. Inizia a essere corteggiata da uomini che prima nemmeno la guardavano e alla fine si mette con uno di loro, e il suo fidanzato brutto, solo e senza soldi decide di ammazzarsi.»

Sono scoppiato a ridere: «Ma da dove ti vengono 'ste stronzate?».

«Un libro di racconti tristi secondo me spacca. Bestseller» ha detto ridendo.

Ho appoggiato il quadernone sul tavolino e l'ho guardato negli occhi: «Ti faccio una domanda ma devi rispondermi sincero».

«Spara.»

«Saresti pronto a rinunciare alle passeggiate in pianura per andare in montagna e godere di quella vista?»

Non ha risposto subito, ci siamo guardati e anche se

lo conosco da anni non riuscivo a interpretare il suo sguardo, non avevo idea di cosa mi avrebbe risposto. Alla fine ha detto: «Certo che lo farei». Ha fatto una pausa e ha aggiunto: «Se fossi una persona diversa». Ci siamo messi a ridere.

Erano già due settimane che stavo da Mauro. Un giorno dovevo andare a Roma per lavoro. La mattina prima di prendere il treno sono passato a salutare Leo.

Quando entravo in casa mi veniva incontro, voleva essere preso in braccio subito. Solo questo sarebbe bastato a farmi tornare ma io e Sofia eravamo convinti che stare insieme per un figlio non fosse la cosa giusta da fare, per nessuno, nemmeno per lui.

Quando le ho detto che stavo andando a Roma, ha fatto un'espressione che non dimenticherò mai.

Ci siamo trovati in cucina da soli, ho desiderato parlarle, dirle qualcosa: «Mi dispiace per questa situazione».

«Anche a me.»

«Come ci siamo arrivati qui?»

«Non lo so.»

«Dove sono finiti quei due che si sono incontrati a Roma? Ce li siamo divorati?»

«Non sono finiti da nessuna parte, siamo noi.»

«Dici che non possiamo più essere così?»

Non ha risposto, mi ha guardato e poi ha detto: «Non voglio più essere quei due. Non voglio tornare indietro, non voglio pensare a ciò che eravamo, non è in quella direzione che voglio rivolgere lo sguardo. A me interessa dove siamo e dove stiamo andando. Sono stata bene in quel periodo, ho ricordi bellissimi ma adesso voglio altre cose, voglio una vita adulta con un uomo al mio fianco. Mi piacciono le nostre responsabilità. I due che siamo stati non volevano rimanere ciò che erano, altrimenti avrebbero fatto scelte diverse. Volevano crescere, fare cose nuove, essere una famiglia. Di quei due condivido i sogni, non ho cambiato idea, mi piace pensare che avevano ragione. Non me la sento di smentirli».

«È colpa mia se stiamo così.»

«Non è solo colpa tua, è colpa di tutti e due. Avevamo bisogno di staccare, di uscire da questo caos per poter pensare, chiarirci le idee e scoprire se c'è ancora qualcosa da salvare o se invece è troppo tardi.»

Quelle parole mi hanno gelato il sangue.

«Cosa intendi dire?»

«Mi hai detto che la donna che vuoi è la Sofia di una volta, quella che hai conosciuto e non quella che sono diventata. Non te l'ho detto quel giorno ma vuoi sapere un segreto? Questa Sofia non piace nemmeno a me. Non mi piace lei e non mi piace questa vita, non mi piace per niente. Anche io sono convinta di non essere la versione migliore di me, lo sento e lo vedo, ma ho sempre trovato la forza di andare avanti pensando che questo è solo un periodo. L'altro giorno, però, ho capito che da sola non ce la posso fare, sono stanca. Stanca di passare giornate intere a convincermi che è questo il posto dove è giusto stare.»

La fissavo cercando di capire cosa stesse dicendo: «Non so più se mi va di stare con un uomo che mette in pericolo la mia vita come hai fatto tu». Si è fermata un istante poi ha aggiunto: «Il punto è che hai rotto una fiducia, sei riuscito a cancellare l'idea che avevo di te e non riesco più a farla combaciare con quello che sei. Tutti possono sbagliare, ma tu hai cancellato un posto dove mi piaceva stare, un luogo dove mi sentivo sicura. Il mondo poteva essere come voleva, io avevo un angolo dove potermi fidare e sentirmi protetta, e non mi serviva altro. Non sono i viaggi o le cene o come facciamo l'amore che mi hanno fatto innamorare di te, sono tutte cose bellissime ma potevo averle anche con altri. Era quel senso di protezione, di fiducia, come un riparo dal mondo, che mi ha tenuta legata a te e che mi ha dato la forza di lasciare tutto e seguirti. Quando l'ho trovato ho capito che era questo che volevo, che avevo sempre cercato e che non riuscivo mai a spiegare a voce. La fiducia. Ora quella fiducia non c'è più. Il che non significa che non ti ami, ti amo ancora, Nicola, ma non mi fido».

Le sue parole mi ferivano, l'idea di aver rotto qualcosa mi faceva male. Lei ha continuato: «Ti giuro che ci sto provando, ce la sto mettendo tutta, perché le cose possano tornare come prima. Per ora non ci sono riuscita».

Ventisette

Le sue parole mi rimbombavano nella testa.

Sul treno per Roma fissavo un punto davanti a me, immobile. Non ho mai controllato il telefono, aperto un libro, sfogliato il giornale. Tutto era ovattato, come se fossi sott'acqua. Quando sono arrivato ho avuto la sensazione che il viaggio fosse durato solo pochi minuti. Sono sceso dal treno, ho preso un taxi e ho fatto il check-in in hotel senza nemmeno accorgermene. Mi muovevo in maniera meccanica. Stavo rischiando di perderla, di perdere tutto. Quando tra di noi le cose andavano bene, mi sentivo più forte di lei, ora che eravamo in piena crisi, lei era più salda. Avevo la testa piena di pensieri, domande, confusione. Riuscivo a distrarmi solo durante le riunioni di lavoro, poi ripiombavo in emozioni contrastanti.

La prima sera non sono nemmeno uscito a cenare, non avevo fame. Sono rimasto in hotel sdraiato sul letto a fissare il soffitto. Ogni tanto mi alzavo e camminavo avanti e indietro. Non mi sono mai sentito così solo come in quei giorni. Sentivo un dolore mai provato prima, nemmeno dopo la morte di mio padre.

Un pomeriggio uscendo dall'ufficio sono andato nella piazza dove avevo incontrato Sofia, dove tutto aveva avuto inizio. Cercavo il bar dove avevamo parlato per la prima volta, il tavolino dove eravamo seduti, gli ombrelloni che ci riparavano dal sole.

Quando sono arrivato il bar non c'era più, delle assi di legno coprivano tutto il muro del palazzo. Mi sono seduto su una panchina vicino alla fontana. Cercavo di rivivere il nostro incontro. La testa si è riempita di immagini. Ho iniziato a ricordare tutte le cose di lei che mi erano piaciute subito, e lentamente mi è apparsa davanti agli occhi, il vestito nocciola, il modo in cui portava i capelli, il viso sorridente, come muoveva le mani.

Sorridevo nel vedere i due che eravamo stati. In quel momento ho capito quello che Sofia aveva cercato di dirmi: come il bar anche quei due non c'erano più, vivevano solo nella mia testa. E li ho lasciati andare.

Mentre tornavo verso l'hotel mi sono venute in mente le parole di Mauro. Aveva ragione lui, il passato a cui continuavo a pensare non esisteva più, come non esistono le vite che non ho scelto di vivere. Esiste solo questa, quella che si sta vivendo. Solo il presente è reale e al mio presente mancavano da morire Sofia e Leo.

Ho sentito una leggerezza che non provavo da tempo.

La mattina seguente in stazione mi sono ritrovato sullo stesso binario del nostro primo bacio. Ho avvertito un senso di appartenenza, identico a quello che ho sentito la prima volta che l'ho incontrata: Sofia non è una scelta, non lo è mai stata. Qualcosa ci unisce al di là della nostra volontà. Posso fare un elenco infinito delle cose che amo di lei, ma non potrò mai capire *perché* la amo. È un mistero insondabile, e a quel mistero, a quella volontà posso solo aderire. Non posso sapere se e quanto durerà o se un giorno ci sveglieremo e non ci sarà più. Ma ora ho trovato il coraggio di accettare quel salto nel buio, quell'azzardo, quel rischio. Nulla è certo tranne ciò che sento adesso.

Nel viaggio di ritorno ho avuto la sensazione di vedere il paesaggio come se fosse nuovo, anche se avevo fatto quella tratta decine di volte.

La sera, sul divano di Mauro, non riuscivo a prendere sonno. E mi è venuta in mente la sua domanda: quali sono i ricordi che vuoi avere di questa vita? Ho chiuso gli occhi e ho cercato di trovare una risposta.

Sono apparse delle immagini ed erano tutte con loro, con Sofia e Leo.

Ho capito di volere proprio quello, quel caos, quella confusione, i pannolini, i pianti, il disordine, il rumore.

Ero pronto a lasciarmi andare, smettere di fare resistenza.

Alti e bassi, ordine disordine, silenzio rumore, confusione quiete, alla fine è tutta vita.

Mi è venuto in mente mio padre, ho avuto la sensazione che in quel momento mi fosse vicino. Da quando era nato mio figlio pensavo a lui in modo diverso. Era come se il rapporto con Leo avesse la capacità di sistemare alcune cose lasciate in sospeso con mio padre. Lo sentivo più vicino e lo comprendevo meglio. Ho capito molte cose di lui, e di me.

Era l'una di notte, mi sono vestito e sono andato dove dovevo stare, sono tornato a casa.

Quando sono entrato in camera da letto, Sofia si è svegliata, a momenti le veniva un infarto.

«Sono io.»

«Che è successo?» mi ha chiesto spaventata.

«Niente.»

Ha acceso l'abat-jour, ci siamo guardati qualche secondo in silenzio. Mi sono infilato nel letto, lei si è girata dall'altra parte e ha spento la luce.

Ho sentito un dolore al petto. Avevo deciso di tornare, avevo capito dov'era il mio posto, ma forse era troppo tardi. Sofia è una persona più determinata di me, se aveva deciso che tra noi era finita, non sarebbe più tornata indietro. Non sapevo cosa fare, se abbracciarla, se parlarle, se rimandare tutto al giorno dopo. Ha indietreggiato ed è venuta verso di me, una cosa che faceva sempre quando voleva essere coccolata, amava la posizione a cucchiaio. Mi ha preso una mano e l'ha portata al suo viso. L'ho stretta in un abbraccio.

Voleva sentirmi, stringermi, starci addosso.

Mi sono avvicinato ancora di più per incastrarmi perfettamente a lei. Lei teneva la mia mano nella sua, vicino alle sue labbra. Sentivo il calore del suo respiro. Mi ha dato un piccolo bacio sulle dita.

La mia bocca vicino al suo orecchio, le avrei voluto sussurrare ciò che sentivo e avevo capito ma ho lasciato che l'abbraccio facesse tutto. *Ho avuto bisogno di tempo ma adesso so cosa voglio. Ti amo Sofia, come non ti ho mai amata, e voglio te nella mia vita. Voglio addormentarmi con te, dormire con te, svegliarmi con te. Vedere te quando apro la porta di casa, mangiare con te, viaggiare con te, avere mille figli con te. Voglio tutto di te. Se devo litigare con una donna voglio farlo con te perché ogni volta che abbiamo litigato poi ti ho amata sempre di più. Ti amo quando non ti sopporto. Amo tutto di te, anche le cose che non amo. Nulla può impedirmi di amarti, nemmeno la vita.*

Ero certo che avesse sentito le mie parole. Le ho baciato la testa. Il suo viso era caldo. Ha stretto le mie dita tra le sue, ho sentito che si stavano bagnando.

Ventotto

Le relazioni intime sono una ricerca della verità.

Sono uno specchio che costringe a vedere le proprie fragilità, le paure, i limiti. Spaventa l'idea di avere a che fare con una persona che non conosci e che non è l'altro, ma sei tu, un nuovo te che non sapevi di essere.

Da Sofia ho preteso me stesso, lei pure.

Un giorno in treno ero seduto vicino a due signore anziane. Da come si parlavano sembravano sorelle. Una di loro stava leggendo un libro, rivolgendosi all'altra ha letto una frase: «Si potrebbe dire che l'amore non è che la gioia di perdersi e dissolversi nell'altro».

Arrivare a se stessi perdendosi nell'altro, non ero mai riuscito a farlo ed era questo che Sofia stava aspettando da me.

La resistenza ai cambiamenti è la radice delle mie difficoltà più profonde.

Le indecisioni, il voler rimanere legato a ciò che è stato rendevano Sofia insicura, come se non l'avessi mai scelta veramente. Lei lo sentiva.

Prima ancora che arrivasse Leo avevamo dato vita a un *noi*, e quel *noi* era un'entità, una dimensione, una forza che andava protetta, difesa, nutrita, altrimenti si sarebbe consumata e sarebbe stato impossibile riportarla in vita.

Mi ci è voluto del tempo per capirlo. C'è voluta volontà, determinazione, coraggio, c'è voluta la paura di perdere tutto. Per tener vivo quel *noi* ho dovuto abbattere ogni difesa e permettere a Sofia di vedere cose di me che avevo sempre cercato di nascondere e dissimulare.

Mi sono consegnato a lei, Sofia può distruggermi in un secondo.

Oggi stiamo bene, Sofia ha ricominciato a lavorare, abbiamo preso da tempo una baby-sitter che ci aiuta con Leo, si chiama Isabella, ha venticinque anni, è molto affettuosa con lui. Nei primi tempi è stata fondamentale, ma anche ora che Leo è all'asilo ci capita di chiamarla qualche volta.

Possiamo godere di tempo per noi. Abbiamo iniziato con qualche pranzo nel weekend, qualche cena durante la settimana.

Ricordo quando, poco dopo essere tornato a casa da Sofia, le ho proposto di andare via una notte.

«E Leo?»

«Ho già avvisato mia madre, partiamo sabato e domenica siamo a casa. C'è anche Isabella.»

Ha sorriso.

Era la prima volta che dormivamo lontani da lui.

Sabato mattina sulla porta di casa abbiamo salutato Leo tra le braccia della nonna.

In ascensore ci siamo sentiti in colpa e durante il viaggio abbiamo pensato che avrebbe potuto piangere tutto il giorno o rifiutarsi di mangiare o dormire. Abbiamo chiamato mia madre. «Sta giocando ed è molto tranquillo» ha risposto.

Quando siamo arrivati in camera sul tavolino c'erano un cesto di frutta e una bottiglia di champagne ghiacciata. Faceva tutto parte di un pacchetto, insieme alla colazione e a un massaggio a testa.

Abbiamo brindato, poi ho preso Sofia, l'ho spinta contro il muro e pezzo per pezzo l'ho spogliata completamente, l'ho sollevata e portata a letto.

Ho iniziato a baciarla dai piedi, le caviglie, i polpacci. Ho afferrato le sue ginocchia e le ho allargato le gambe. Salivo lentamente e baciavo ogni centimetro della sua pelle. Conoscevo a memoria quel corpo eppure mi sembrava tutto nuovo, tutto ritrovato.

Quando con la bocca e la lingua ho assaggiato il suo sapore ha avuto un sussulto, per un istante ha tremato, con le mani ha afferrato il lenzuolo. Sono rimasto lì per un tempo infinito, i suoi ansimi aumentavano sempre di più, il corpo che prima era morbido e rilassato diventava sempre più teso, rigido. Si è inarcata leggermente con la schiena, il bacino ha iniziato a fare piccoli movimenti ondulatori.

I suoi lamenti aumentavano il ritmo, il suono sembrava quasi un pianto fino a quando con un urlo strozzato l'ho sentita raggiungere l'apice e ho avvertito il suo piacere sulle mie labbra.

Mi sono fermato e ho aspettato qualche istante, sapevo che in quel momento era molto sensibile. Poi piano piano ho ricominciato e in pochi secondi ha raggiunto un altro orgasmo.

Sono salito baciandole la pancia, i fianchi, i seni, le spalle, il collo, le labbra. Ho sollevato la testa e ci siamo guardati negli occhi. Ci siamo ritrovati dentro i nostri sguardi, eravamo lì, eravamo noi, i due di sempre. I nostri occhi si sono riempiti di lacrime e ci siamo riscoperti dentro un'emozione profonda, reale, intensa. In quello sguardo abbiamo trovato ciò che cercavamo da sempre.

Sono entrato dentro di lei, ho affondato il viso nel

suo collo e ho inspirato profondamente. Il suo odore nelle narici e il suo sapore sulla bocca mi hanno fatto l'effetto di una droga naturale, ho sentito dilatarsi ogni percezione. Ci siamo presi le mani, abbiamo intrecciato le dita e fatto l'amore per un tempo lunghissimo, avvolgente. Dopo, siamo rimasti in un abbraccio che solo chi ha rischiato di perdersi può scambiarsi. Immobili, l'uno nell'altra, siamo caduti in un sonno profondo e quando ci siamo svegliati non avevamo le forze per muoverci. Non siamo nemmeno riusciti a scendere per il massaggio.

Prima di andare a cena ci siamo assicurati che Leo stesse bene. «Ha mangiato tutto e si è addormentato subito» ha detto mia madre.

E un po' ci siamo rimasti male nello scoprire di essere meno indispensabili di come avevamo sempre creduto.

Sofia si è truccata e vestita per la cena. Quando è uscita dal bagno e l'ho vista, l'avrei rispogliata. Per me era sempre la donna più attraente del mondo. Le ho preso il viso e l'ho baciata, poi tenendola per mano siamo scesi al ristorante. Anche in ascensore le sono stato addosso tutto il tempo, le mie labbra sulle sue.

A cena non dovevamo inseguire nostro figlio, dargli da mangiare, cambiarlo, metterlo a letto. Eravamo solo noi e non avevamo fretta di tornare a casa. Il tempo ritrovato ci sembrava infinito.

A tavola l'ho osservata mentre leggeva il menu e mi sono accorto di essere innamorato, felice, pieno.

Abbiamo chiacchierato molto, come facevamo all'inizio, sono riuscito anche a farla ridere un paio di volte, una cosa che mi ha sempre riempito di gioia. Sembravamo una coppia al primo appuntamento.

Abbiamo bevuto una bottiglia di vino rosso, quando siamo tornati in camera eravamo allegri.

Ero certo avremmo fatto l'amore, invece ci siamo addormentati l'uno nelle braccia dell'altra.

Abbiamo dormito tutta la notte senza interruzione. Per lei era la prima volta dopo più di un anno.

Al mattino ci siamo svegliati con le facce gonfie.

Non c'erano messaggi o chiamate da parte di mia madre, stava andando tutto bene. Ci siamo ritrovati a letto con il telefono in mano a guardare le fotografie di Leo. Ci mancava già.

Ci siamo resi conto di quanto fosse cresciuto: «A volte hai bisogno delle foto per capirlo» ho detto a Sofia. Siamo risaliti fino a quando lei era incinta. Ci siamo guardati un istante senza dire nulla, poi Sofia è andata a farsi la doccia.

Sono rimasto a letto, ero felice di noi, della nostra vita, di quello che avevamo fatto da quando c'eravamo incontrati.

Qualche sera prima ero sdraiato sul divano, Sofia e Leo stavano giocando di fronte a me sul tappeto, lei di profilo, lui mi dava la schiena, non vedevo le sue espressioni, trafficava con dei mattoncini di legno, che finalmente aveva cominciato a usare. Li ho osservati in silenzio, senza partecipare. Per quanto mi sforzi di comprendere Sofia fino in fondo, ci sarà sempre una parte di lei che mi sfugge e forse è questo che ci tiene insieme, non tanto quello che sappiamo di noi ma quello che ancora dobbiamo scoprire.

Poi ho guardato Leo: la forma della nuca, le orecchie, i capelli, la schiena. A volte solo osservandolo sento un calore improvviso nel petto, una forza mai provata prima.

In momenti come questi, in cui non accade nulla di speciale, sento che ne vale la pena. Tutte le seccature, le discussioni dentro la mia testa, le tensioni, le rinunce, i sacrifici, la stanchezza svaniscono, evaporano e lasciano spazio a una specie di beatitudine che solo grazie a loro riesco a provare.

Un giorno Leo aveva la febbre, sul divano mi abbracciava e non voleva che lo lasciassi. Era bollente, aveva un braccio intorno al mio collo e dalla bocca uscivano piccoli lamenti. Lo stringevo forte, cercavo di farlo sentire al sicuro, fargli capire che ero lì per lui, che non sarei andato da nessuna parte.

Era debole, tremava un po' e in quel momento di fragilità è successa una cosa inaspettata: mio figlio mi ha tolto ogni paura. Mi sono sentito potente. Mi sono sentito autorizzato a esserlo. Non so da cosa, non so da chi, ma era questo il mio sentimento.

Più lo proteggo, più proteggo la mia famiglia, più proteggo me stesso. Più mi occupo di loro, più mi sento al sicuro, al sicuro dalle mie paure e da infiniti dubbi.

Sofia è stata il mio rischio e loro sono la cosa più bella che può capitare a un uomo come me. In quel primo anno con Leo era stato come se ci fossimo dimenticati il motivo per cui stavamo insieme, uno accanto all'altra.

Oggi abbiamo imparato a gestire meglio il nostro tempo e abbiamo trovato nuovi equilibri. Discutiamo ancora ma sappiamo che la nostra relazione non è in pericolo, possiamo permetterci il lusso di litigare.

Di perfetto nella nostra unione c'è ben poco, dopo tutti gli anni insieme posso dirlo senza dubbi. È stato più un continuo lavoro di attenzioni, compromessi, cose da sistemare, riparare. Inventare.

Sentivo che lei era la destinazione giusta. È stata l'unica certezza, non un motivo, ma una sensazione, una proiezione. Lei da subito è stata il mio angolo di senso.

Sofia ha segnato una linea netta tra un prima e un dopo. La vita prima di lei è lontana anni luce, tanto che mi sembra non sia mai realmente esistita, solo sognata, le immagini sono evaporate.

Da quando Sofia è arrivata, le cose importanti hanno iniziato ad accadere. Ha reso reali le attese.

La sera quando entro in casa Leo mi viene incontro gridando: «Papà papà papà», mi abbraccia le gambe, vuole ancora che lo prenda in braccio, mi sorride, mi bacia, mi si avvinghia al collo.

Quando lo rimetto a terra mi prende per mano e mi porta in camera sua, poi mi mostra dove vuole che mi sieda. Giochiamo insieme fino alla cena. Quando poi lo metto a letto, mi dà il bacio della buonanotte. E lo fa sempre ridendo.

L'amore di cui tutti mi avevano parlato mi ha invaso totalmente e ho capito che è la droga più potente e pura del mondo. Il mio tempo con lui è un tempo prezioso.

Ciò che Leo ha portato nella vita è qualcosa di così grande e profondo che mi chiedo se la vita di prima avesse senso. A volte, durante il giorno, pensando a lui mi commuovo.

Quella volta, dopo la nostra prima notte da soli in albergo, mi sono alzato dal letto della camera e mi sono vestito. Sofia è uscita dal bagno: «Andiamo a fare colazione? Ho una fame che potrei mangiare un elefante».

Sono rimasto in silenzio e l'ho guardata negli occhi.

«Vieni qui un attimo» le ho detto prendendola per un braccio e tirandola verso di me.

Le ho slacciato la cintura dell'accappatoio, l'ho aperto e l'ho fatto scivolare a terra. Con una mano le ho afferrato il collo, mi sono avvicinato col viso, l'ho baciata in bocca. L'ho spinta contro il muro, le ho sollevato leggermente una gamba e l'ho presa così. Sentivo la pelle calda del suo corpo. Poi mi ha fermato, guardandomi negli occhi mi ha fatto sdraiare sul letto, mi è salita sopra e mi ha finito così. Quando siamo scesi a far colazione sembravamo due persone che non mangiavano da giorni.

Abbiamo iniziato con il dolce e poi siamo passati al salato. Ci siamo fatti portare il caffè americano e ne abbiamo bevuta una caraffa intera.

In macchina, sulla strada del ritorno, non abbiamo parlato molto, stavamo ancora godendo del tempo insieme, della calma. Il silenzio era prezioso, volevamo assaporarne ogni secondo.

Nessuno dei due desiderava farlo durare di più, in realtà non vedevamo l'ora di arrivare a casa e abbracciare Leo. Volevamo essere tutti e tre insieme, senza di lui ci mancava un pezzo, la nostra piccola gang non era completa.

Quando ci ha visto entrare si è messo a correre e si è buttato tra le braccia di Sofia, mi sono avvicinato e li ho stretti in un abbraccio.

Lo abbiamo rimesso a terra e ha iniziato a correre per casa.

Non era ancora passato un minuto e aveva già sbattuto la testa contro il tavolino del soggiorno. È scoppiato a piangere. Non si era fatto nulla di grave, un segno rosso che sarebbe diventato blu in pochi minuti.

Sofia lo ha preso in braccio e mi ha detto una cosa ma non sono riuscito a capire per via delle grida.

Ci siamo guardati, abbiamo sorriso.

Mondadori Libri S.p.A.

Questo volume è stato stampato
presso ELCOGRAF S.p.A.
Stabilimento - Cles (TN)

Stampato in Italia - Printed in Italy